COLLOQUIAL ROM

THE COLLOQUIAL SERIES

---

*Colloquial Albanian
*Colloquial Arabic (Levantine)
*Colloquial Arabic of Egypt
*Colloquial Arabic of the Gulf and Saudi Arabia
*Colloquial Chinese
*Colloquial Czech
Colloquial Dutch
*Colloquial English
*Colloquial French
Colloquial German
Colloquial Greek
*Colloquial Hungarian
*Colloquial Italian
*Colloquial Japanese
*Colloquial Persian
*Colloquial Polish
Colloquial Portuguese
*Colloquial Romanian
Colloquial Russian
*Colloquial Serbo-Croat
Colloquial Spanish
*Colloquial Swedish
Colloquial Turkish

*Accompanying cassette available

COLLOQUIAL ROMANIAN

Dennis Deletant
Senior Lecturer in Romanian Studies,
School of Slavonic and East European Studies,
University of London

London and New York

First published in 1983
by Routledge & Kegan Paul

Reprinted in 1990 and 1991
by Routledge
11 New Fetter Lane, London EC4P 4EE

Simultaneously published in the USA and Canada
by Routledge
a division of Routledge, Chapman and Hall, Inc.
29 West 35th Street, New York, NY 10001

Printed in Great Britain
by Cox & Wyman Ltd, Reading

Library of Congress Cataloging in Publication Data

Deletant, Dennis, 1946–

Colloquial Romanian.
(Colloquial series)
Includes index.
1. Romanian language – Grammar – 1950–
2. Romanian language – Spoken Romanian. I. Title
PC635.D44 1983 459'.83'421 83–2880

ISBN 0-415-05129-0

CONTENTS

INTRODUCTION 1

ABBREVIATIONS 4

LESSON 1 5
The Alphabet – Pronunciation – Stress – Intonation – The Indefinite Article – Verbs – Vocabulary – Text – Exercises

LESSON 2 13
Pronunciation – Nouns – Adjectives – Numerals – Verbs – Vocabulary – Text – Exercises

LESSON 3 23
Pronunciation – Nouns – Noun usage – Pronouns – Numerals – Verbs – Word Order – Vocabulary – Text – Exercises

LESSON 4 33
Pronunciation – Nouns – Pronouns – Interrogative Adjective and Pronouns – Verbs – Adverbs – Negation – Vocabulary – Texts – Exercises

LESSON 5 REVISION 43
Vocabulary – Text – Exercises

LESSON 6 48
Vocabulary – Adjectives – Numerals – Verbs – Adverbs – Prepositions – Conversation – Text – Exercises

LESSON 7 57
Vocabulary – The Case-System – Indefinite Forms of Nouns – Vocative Case – Verbs – Conversation – Exercises

LESSON 8 66
Vocabulary – The Definite Article – Noun usage – Conversation – Exercises

LESSON 9 75
Vocabulary – Agreement of Adjectives – Demonstrative

Adjectives – Comparative Adjectives – and Adverbs – Verbs – Text – Exercises

LESSON 10 85
Vocabulary – Possessive Adjectives – Verbs – The Subjunctive – Prepositions – Conversation – Text – Exercises

LESSON 11 96
Vocabulary – Demonstrative Adjectives and Pronouns – Verbs – The Compound Perfect – Sequence of Tenses – Conversation – Exercises

LESSON 12 107
Vocabulary – Personal Pronouns – Reflexive Pronouns – Proper Names – *Să* Clauses – The Time – Conversation – Text – Exercises

LESSON 13 118
Vocabulary – Personal Pronouns – Uses of *pe* – The Passive Voice – Prepositions – Numerals – Conversation – Text – Exercises

LESSON 14 131
Vocabulary – Personal Pronouns – Uses of the Dative Pronouns – Adverbs – Conjunctions – Interjections – Conversation – Text – Exercises

LESSON 15 REVISION 141
Text – Conversation – Exercises

LESSON 16 148
Vocabulary – Personal Pronouns – The Future Tense – Conversation – Text – Exercises

LESSON 17 159
Vocabulary – The Imperative – The Days of the Week – The Months of the Year – The Date – Expressions of Time – Conversation – Text – Exercises

LESSON 18 173
Vocabulary – The Possessive Article – Agreement of Adjectives – Pronouns – The Imperfect Tense – Conversation – Text – Exercises

LESSON 19 186
Vocabulary – The Past Historic – Invariable Adjectives – Interrogative and Relative Pronouns – Indefinite Pronouns and Adjectives – Conversation – Text – Exercises

LESSON 20 198
Vocabulary – The Conditional Mood – Superlative Adjectives and Adverbs – The Numeral – Names of Countries – Conversations – Text – Exercises

LESSON 21 211
Vocabulary – The Pluperfect Tense – Sequence of Tenses – Ordinal Numbers – Adverbs – Conversation – Exercises

LESSON 22 222
Vocabulary – The Present Participle – Uses of the Reflexive – Prepositions – *Să* clauses – Conversation – Text – Exercises

LESSON 23 230
Vocabulary – Past Participles – Prepositions – Presumptive Statements – Result Clauses – Conversation – Text – Exercises

LESSON 24 238
Vocabulary – Temporal Conjunctions – Expressions of Time – Writing a Letter – Conversation – A Letter – Exercises

LESSON 25 REVISION 245
Vocabulary – Text – Exercises

APPENDIX 254
Verb Table

ROMANIAN WORD LIST 279

ROMANIAN-ENGLISH VOCABULARY 289

INDEX 333

The forms 'Romania', 'Romanian' are used in this book in preference to other spellings e.g. 'Rumania', 'Roumania' for two reasons: the United Nations has adopted the form 'Romania', and the Romanians themselves spell their country's name with an 'o'.

INTRODUCTION

Romanian is a Romance language that developed from the Latin spoken in the lower Danube region almost two thousand years ago. The Dacians, who occupied much of this area, are believed to have spoken a Thracian tongue. The Roman emperor Trajan conquered Dacia in campaigns lasting from A.D. 105–107 and colonized it with settlers from all parts of the Empire who intermarried with the local population and romanized it. After being abandoned by the Romans in A.D. 271, the province became a battleground and gateway to the south for successive invaders. The intrusion of Slavonic peoples in the sixth and seventh centuries finally cut off Dacia from the rest of the Romance-speaking world. Thereafter, it is difficult to discover any reference to, or trace of, the Romance-speaking population of this area. Two seventh century chroniclers, writing in Greek and both using the same original text, mention a soldier in the Byzantine army who spoke these words in his native language: Torna, torna, fratre. This phrase, connected with an event during a campaign in Thrace in A.D. 587, is believed to be the earliest evidence of Balkan Romance. There follows, in the history of Romanian, a silence of almost a thousand years, yet the present twenty-two million speakers of the language presuppose a sizeable ancestry.

The grammar of Romanian is almost entirely Latin. The isolation of Romanian, however, has led to the development of a number of features that distinguish it from the other Romance languages (French, Spanish, Italian and Portuguese), most notable among them being the postpositioning of the definite article e.g. radioul 'the radio' cf. French la radio, and a three-case system with forms for the nominative/accusative, vocative, and genitive/dative. The vocabulary is basically of Latin origin but it has, at different periods, been heavily influenced by Slavonic, Turkish and Greek, thus reflecting the turbulent history of the country. The adoption by the Romanians of the Orthodox rite gave them access to Byzantine culture and this heritage is reflected in their early literature. At the end of the eighteenth century a Latinist movement in Transylvania encouraged the use of the Roman in place of the Cyrillic alphabet in which most of early Romanian literature is recorded, and at the same time attempted to 're-Latinize' the vocabulary. During the nineteenth century French influence began to assert itself in all forms of cultural life and French became, and remains, the favourite source of new loan-words. It was only in the middle of the last century that the Cyrillic alphabet was finally renounced in the Romanian principalities of Moldavia and Wallachia.

Romanian is divided into four dialectal groups, separated from each other by Slavonic and Greek-speaking areas:

1. Daco-Romanian or Romanian proper, spoken in Romania, Soviet Moldavia (Bessarabia), and parts of Yugoslavia and Hungary bordering on Romania.
2. Aromanian or Macedo-Romanian, spoken in a few communities in Greece, Albania, and Yugoslavia.
3. Megleno-Romanian, spoken in the Greek-Yugoslav border region.
4. Istro-Romanian, spoken in a very small number of villages in the peninsula of Istria on the Adriatic.

The southern (Wallachian) form of Daco-Romanian is regarded as Standard Romanian and is the basis of the modern literary language. It is this form that is described in the present book. Stress has been placed on colloquial usage and to illustrate this the lessons contain a conversation and a text which use the grammatical points and vocabulary just presented. The twenty-five lessons in the book are graded and each one contains new vocabulary, a list of phrases which appear in the text, a section on grammar, a conversation and a text (both of which should be read aloud) and finally a number of exercises with a key. Your own answers may not always correspond with those in the key but this does not mean that they are wrong. There is usually more than one way of translating a phrase from one language into another. The specimen answers in the key are intended only as a guide so that you can monitor your own progress.

To assist you to read the conversations and texts stressed syllables are denoted in bold type. Sections on pronunciation appear in the first five lessons and before attempting the text in these lessons you should study the pronunciation.

The Romanians are the only East European people to speak a

Latin language and a knowledge of Romanian will open the door to a unique culture and to a most hospitable people.

Finally I should like to thank my wife Andrea and Mme Micuţa Caracostea for their invaluable help in preparing this course.

ABBREVIATIONS

acc.	accusative case
adj.	adjective
adv.	adverb
conj.	conjunction
dat.	dative case
dem. adj.	demonstrative adjective
dem. pron.	demonstrative pronoun
Eng.	English
f.	feminine
fut.	future
gen.	genitive
imp.	imperative
ind. art.	indefinite article
inter.	interrogative
interj.	interjection
inv.	invariable form
m.	masculine
n.	neuter
nom.	nominative
num.	numeral
ord.	ordinal
part.	participle
past part.	past participle
pers.	person
pl.	plural
poss.	possessive
poss. adj.	possessive adjective
prep.	preposition
pres.	present
pron.	pronoun
rel.	relative
s.	singular
vb.	verb

LESSON 1

1 THE ROMANIAN ALPHABET

As mentioned in the Introduction Romanian uses the Latin alphabet. Its orthography is mainly phonemic i.e. the same letter represents the same sound in all words of the language, with extremely few exceptions. Here are the letters with their names between slanting lines:

A	a	/a/	N	n	/ne/
Ă	ă	/ă/	O	o	/o/
Â	â	/î/	P	p	/pe/
B	b	/be/	Q	q	/kju/
C	c	/če/	R	r	/re/
D	d	/de/	S	s	/se/
E	e	/e/	Ş	ş	/she/
F	f	/fe/	T	t	/te/
G	g	/ge/	Ţ	ţ	/tse/
H	h	/ha/	U	u	/u/
I	i	/i/	V	v	/ve/
Î	î	/î/	W	w	/dublu ve/
J	j	/zhe/	X	x	/iks/
K	k	/ka/	Y	y	/igrek/
L	l	/le/	Z	z	/ze/
M	m	/me/			

Remarks

Â â are equivalent to /î/ and occur only in some proper nouns e.g. *Brâncuşi* and in the noun *român* and its derivatives e.g. *România*, *românesc*.

K k, *Q q*, *W w* and *Y y* occur only in loan words and in proper nouns e.g. *kilometru*, *Quintilianus*, *whisky*, *Yale*.

2 PRONUNCIATION

The phonetic symbols used in this book to denote the sounds of Romanian are those of the International Phonetic Association with the exception of /î/ and /ă/ (IPA ɨ and ə) and /č/, /ğ/ /sh/ and /zh/ (IPA tʃ, dʒ, ʃ and ʒ). The symbols /y/ and /ĭ/ have been used respectively to represent the semi-vowel resembling the y of Eng. yes and the non-syllabic voiceless /i/ (see Lesson 2). The phonetic value of each of the Romanian letters is given between slanting lines and stressed vowels are printed in bold type.

A. Vowels

a /a/ is similar to the Standard English vowel-sound in bud, come, done, put. Examples:

ac	needle	n**a**s	nose
av**e**m	we have	p**a**t	bed

ă /ă/ differs in quality from *a*, being a less open sound. Its articulation is made with the centre of the tongue raised nearer the roof of the mouth than for *a*. It is similar to the Standard English vowel-sound in hearse, nurse, terse. Examples:

c**a**să	house	m**a**mă	mother
f**a**tă	girl	t**a**tă	father

Remarks

Except in a few instances *ă* does not usually occur in a stressed syllable.

e /e/ is very similar to the Standard English vowel-sound in dead, let, red. Examples:

b**e**c	light-bulb	l**e**mn	wood
c**a**rte	book	s**e**mn	sign

o /o/ is articulated with rounded lips and with the tongue raised slightly higher than the position for the Standard English vowel-sound in cork, port, sort. Examples:

om	man
p**o**m	fruit tree
s**o**mn	sleep

u /u/ is pronounced with slightly rounded lips at the back of the mouth with the tongue raised higher than for *o*. It resembles the

Standard English vowel-sound in soon, moon, and prune except that it is shorter. Examples:

cu	with	nu	no
fum	smoke	sub	under

î /î/ cannot be equated with any Standard English vowel-sound. It is pronounced mid-way between ee in English keep and oo in English moon and is articulated with spread lips and with the centre of the tongue arched towards the roof of the mouth. It can be practised by pronouncing *ă* and then raising the centre of the tongue even higher. Examples:

sînt	I am	they are
în	in	
mînă	hand	

The letter â was also used to denote the sound /î/ until an orthographic reform of 1953 in Romania recommended its renunciation. It was reintroduced in 1965 but only in the name of the country, *România*, and in all words containing the root român- such as *român*, *românesc*, *româneşte*. More recently *â* has been adopted in some proper names e.g. *Brâncuşi*.

B. Consonants

b /b/, *f* /f/, *v* /v/, *m* /m/, *s* /s/ and *z* /z/ are like English, b, f, v, m, s and z in bag, fog, value, modern, save and zone. Examples:

bun	good	modern	modern
fată	girl	sare	salt
valoare	value	zonă	zone

p /p/, *t* /t/, *c* /k/, *d* /d/ and *n* /n/ are crisper than their English counterparts. *p* /p/, *t* /t/ and *c* /k/ are pronounced as English p, t and c in spot, stop and Scot and without the aspiration they have in pot, top and cot. *t* /t/, *d* /d/ and *n* /n/ are pronounced with the tip of the tongue touching the back of the upper teeth (in English they are articulated with the tip of the tongue striking the teeth-ridge). Examples:

pat	bed	timp	time

dop	cork	d**i**nte	tooth
pod	bridge	nod	knot

l /l/ is pronounced like English l preceding a vowel as in long, leg, lift and not like l as in bell and tall. Examples:

l**i**mbă language
lac lake
l**e**ge law

r /r/ resembles the trilled r characteristic of Scottish English. Examples:

r**a**dio radio
r**e**pede quickly
guv**e**rn government

h /h/ is pronounced like English h in heap, hear, behind in which the English sound is not so strongly aspirated as it often is at the beginning of words. Examples:

h**a**rtă map
hot**e**l hotel
hal**a**t dressing-gown

3 STRESS

Stress is indicated in this book by printing the vowel of the stressed syllable in bold type. There is no written accent or sign for it in the Romanian orthography and there is no rigid rule as to the position of the stressed syllable in a word. However, the stressed syllable is always constant in the various flexional forms of the noun i.e. it does not change when the definite article is suffixed.

4 INTONATION

Generally speaking, there are three basic intonation patterns:

a) Normal statement

e.g. pun o c**a**rte pe raft 'I put a book on the shelf'

where the slight fall in pitch occurs in raft.

b) Yes-no question ⌐ ?

e.g. Avem un raft în cameră? 'Do we have a shelf in the room?'

where the marked rise in pitch occurs in cameră.

c) Simple question ↘ ?

e.g. Unde dormim? 'Where shall we sleep?'

where the high pitch is given to unde.

5 ORTHOGRAPHY

The orthography in use in Romania has been followed in this book.

6 GRAMMAR

A. Nouns

Romanian has three genders: masculine (m.), feminine (f.) and neuter (n.) or mixed. In most cases male beings belong to the masculine gender and female beings to the feminine. Objects and abstract notions, however, can be either masculine, feminine or neuter.

B. The Indefinite Article ('a', 'an')

The indefinite article *un* precedes masculine and neuter nouns, while *o* precedes feminine ones. Among the nouns that are used in the text of this lesson are

un om	m.	a man
o masă	f.	a table
un pat	n.	a bed

It should be noted that a number of prepositions are also used e.g.

cu	with
pe	on

Following prepositions the indefinite form of the noun is used where in English we would use the definite article e.g.

pun o c**a**rte pe raft	I put a book on the shelf
dorm la hot**e**l	I sleep at the hotel

Nevertheless the *indefinite* article is not omitted in Romanian where the meaning requires it e.g.

pun o c**a**rte pe un raft	I put a book on a shelf
dorm la un hot**e**l	I sleep at a hotel

C. Verbs

The verbal forms used in the text are

am	I have
av**e**m	we have
dorm	I sleep, I am sleeping, they sleep, they are sleeping
pun	I put, I am putting, they put, they are putting
p**u**nem	we put, we are putting
sînt	I am, they are
văd	I see, I am seeing, they see, they are seeing

As the person of the verb is indicated in the ending there is less need in Romanian for subject pronouns (e.g. 'I', 'we') except where the ending is ambiguous e.g. *pun* can mean both 'I put' and 'they put'. However, for the sake of simplicity at this stage, the subject pronouns have been omitted in such cases.

7 VOCABULARY

Remember that stressed vowels are in bold type

am vb. I have, I've got
apartam**e**nt n. flat, apartment
apă f. water, river
av**e**m vb. we have, we've got
bec n. light bulb
b**e**re f. beer, a bottle of beer
c**a**meră f. room
c**a**rte f. book
cu prep. with
dorm vb. I sleep, I am sleeping, they sleep, they are sleeping
h**a**rtă f. map

hotel n. hotel
în prep. in
la prep. at, to
lampă f. table lamp
masă f. table
măr n. apple
o f.ind. art. a, an
om m. man
pahar n. glass
pat n. bed
pe prep. on
pom m. fruit tree, tree
portofel n. wallet
pun vb. I put, I am putting, they put, they are putting
punem vb. we put, we are putting
pungă f. plastic bag
raft n. shelf
sînt vb. I am, they are, there are
un m./n. ind. art. a, an
văd vb. I see, I am seeing, they see, they are seeing
văr m. cousin

Phrases

o cameră de hotel	a hotel room
un pahar cu bere	a glass of beer

■ 8 TEXT

Read the following text aloud several times

O cameră. O cameră de hotel. Un hotel. La hotel. Dorm la hotel. Dorm în cameră. Un pat. Dorm în pat. Am o cameră la hotel. Un portofel. Am un portofel. Am o pungă. Un pahar cu bere. Avem un pahar cu bere. Am un pahar cu apă. O hartă. Văd o hartă. Pun o hartă pe masă. Un om. Un pom. Un om cu un măr. Un pom cu un măr. Văd un măr în pom. Am un măr. Un apartament. Sînt în apartament. Sînt la hotel. Sînt în cameră. O lampă. Am o lampă în apartament. Un bec. Pun un bec în lampă. Un raft. O carte. Pun o carte pe raft. Punem o carte pe un raft. Am un raft în cameră.

9 EXERCISES

A. Translate the text (8)

B. Translate

1. I see a hotel.
2. I sleep in the room.
3. I have a bed.
4. I sleep in the bed.
5. I am sleeping at the hotel.
6. We have a flat.
7. We have a shelf in the room.
8. I am putting a book on the shelf.
9. I put a map on the table.
10. I see a map on a table.
11. I see a man with an apple.
12. A tree with an apple.
13. We have a glass of beer.
14. I have a wallet.
15. We are putting a bulb in the table lamp.
16. I have an apple.
17. I've got a cousin.
18. They are at the hotel.
19. They are sleeping in the room.

C. Compare your answers with this key; then read the key aloud.

1. Văd un hotel.
2. Dorm în cameră.
3. Am un pat.
4. Dorm în pat.
5. Dorm la hotel.
6. Avem un apartament.
7. Avem un raft în cameră.
8. Pun o carte pe raft.
9. Pun o hartă pe masă.
10. Văd o hartă pe o masă.
11. Văd un om cu un măr.

12. Un pom cu un măr.
13. Avem un pahar cu bere.
14. Am un portofel.
15. Punem un bec în lampă.
16. Am un măr.
17. Am un văr.
18. Sînt la hotel.
19. Dorm în cameră.

LESSON 2

1 PRONUNCIATION

A. Vowels

The letter *i* can represent three sounds:

1. With the value of /i/ it resembles Standard English ee or ea in such words as keep, seed and seat. Examples:

lin	gently	pin	pine tree
mic	small	senin	bright

2. At the end of a word, when unstressed and unaccompanied by another vowel, *i* has the value of /ĭ/ which is a non-syllabic, voiceless and scarcely audible /i/. It may be considered a sign denoting the softening of the preceding consonant. Examples:

ani	years	grădini	gardens
bani	money	străzi	streets

However, an unstressed final *i* preceded by a consonant plus *l* or *r* is pronounced as a full vowel, that is, as /i/. Examples:

litri	litres
socri	parents-in-law
sufli	you blow

3. Combined with other vowels *i* may also denote a semi-vowel with

the value of /y/. It is very similar to Eng. y in yes and occurs only in combinations with other vowels. Examples:

iarbă grass
iarnă winter
ieri yesterday (note that the final i of this word is pronounced /ĭ/)
iau I take

B. Diphthongs

When a sound is made by gliding from one vowel position to another within the same syllable, it is called a diphthong (or triphthong if a third vowel position is involved). Diphthongs are represented phonetically by sequences of two letters, the first showing the initial vowel position of the tongue, and the second indicating the direction of the vowel position towards which the tongue is moving. To indicate the unstressed component of a diphthong or triphthong, the conventional sign ̯ has been used. Occasionally hyphens have been inserted to indicate syllable divisions.

au/au̯/ resembles the English diphthong in owl and now. The /u̯/ element is given slightly more emphasis in Romanian, especially when the diphthong occurs in the initial position of a word. Examples:

stau I sit
aur gold

ei /ei̯/ is like the English diphthong in pay and say. Examples:

lei lions
tei lime trees

eu /eu̯/ has no equivalent in English. It is a glide from Romanian /e/ towards /u/, as in

leu lion

îi /î̯i/ does not occur in English. It is a glide from Romanian /î/ to /i/ as in

pîine bread
cîine dog
mîine tomorrow

oa /o̯a/ is like the first syllable of English worry. The /o̯/ element is, however, more open than English w. Examples:

noapte	night
soare	sun
oameni	people

oi /oi̯/ resembles the English diphthong in boys, choice, poise. Examples:

boi	oxen
doi	two
noi	we us

uă /u̯ă/ is like the English diphthong in congruous, the initial element of the diphthong resembling English w. Examples:

două	two
rouă	dew

C. Consonants

c /č/. It was stated in Lesson 1.2 B that *c* had the value of /k/. This is the case when *c* is followed by *a*, *ă*, *o*, *u*, and *î*. However, when followed by *i* or *e*, *c* has the value of /č/ like Eng. ch in choice, such. Examples:

ce	what	mici	small
cine	who?	pleci	you depart

(remember that final *i* in the last two examples has the value of /ĭ/)

g /g/ Similarly, when *g* is followed by *a*, *ă*, *o*, *u*, and *î* it has the value of /g/ as in English got. Examples:

gară	station	gînd	thought
gol	naked	lîngă	by near

g /ğ/ When *g* is followed by *i* or *e* it has the value of /ğ/ as in English giant. Examples:

ger	frost	inginer	engineer
ginere	son-in-law	fagi	beech trees

(remember that final *i* in the last example has the value of /ĭ/)

ch /k/, *gh* /g/ *ch* and *gh* are used only before *i* and *e*. Their value is very similar to the /k/ and /g/ exemplified above. However, the position of the tongue for *ch* and *gh* is slightly further forward. Examples:

ch**e**lner	waiter
chibr**i**t	match
ghini**o**n	misfortune

x is usually pronounced /ks/ as in English exception. Examples:

pix	ball-point pen
tax**i**	taxi

In the prefix *ex-* it is pronounced like English x in export before a consonant, and like /gz/ as in English exact before a vowel.

2 GRAMMAR

A. Nouns

Broadly speaking, to mark the plural masculine nouns take the ending *-i*, feminine the endings *-e* or *-i*, and neuter nouns the endings *-e* or *-uri*. Examples:

m.

s.	pl.
pom	pomi
t**e**rmen	t**e**rmeni
c**î**ine	c**î**ini

An irregular plural

om	o**a**meni

f.

s.	pl.
adr**e**să	adr**e**se

f.	
s.	pl.
bere	beri
cameră	camere
casă	case

n.	
s.	pl.
bec	becuri
hotel	hoteluri
pahar	pahare
pix	pixuri
portofel	portofele

B. Adjectives

Romanian adjectives agree with the nouns that they qualify in number, gender and case; they usually follow the noun.

In the singular, most adjectives have a common form for masculine and neuter nouns, and a distinct form for feminine nouns. In the plural, they may have one form for masculine nouns and a common form for feminine and neuter nouns, or a common form for all three genders in the plural.

Most Romanian adjectives have four forms:

	m.	f.	n.
s.	bun	bună	bun
pl.	buni	bune	bune

Examples:

	m.	f.	n.
s.	un cîine bun	o cameră bună	un hotel bun
pl.	cîini buni	camere bune	hoteluri bune

Others have three forms:

	m.	f.	n.
s.	mic	mică	mic

	m.	f.	n.
pl.	mici	mici	mici

	m.	f.	n.
s.	sec	seacă	sec
pl.	seci	seci	seci

	m.	f.	n.
s.	folositor	folositoare	folositor
pl.	folositori	folositoare	folositoare

Note that this type in *-tor*, which is usually derived from verbs, has a common form for feminine singular and feminine plural. Examples:

	m.	f.	n.
s.	un pom mic	o casă mică	un hotel mic
pl.	pomi mici	case mici	hoteluri mici

	m.	f.
s.	un termen folositor	o adresă folositoare
pl.	termeni folositori	adrese folositoare

	n.
s.	un portofel folositor
pl.	portofele folositoare

Others have two forms:

	m.	f.	n.
s.	mare	mare	mare
pl.	mari	mari	mari

	m.	f.	n.
s.	dulce	dulce	dulce
pl.	dulci	dulci	dulci

Examples

	m.	f.	n.
s.	un cîine mare	o casă mare	un hotel mare
pl.	cîini mari	case mari	hoteluri mari

C. Numerals

The indefinite article *un*, *o*, when qualifying a noun is also used as the numeral 'one'. The numeral *doi*, *două* 'two' also agrees in gender e.g.

m.	f.	n.
un pom	o casă	un hotel
doi pomi	două case	două hoteluri

However, *trei* 'three', *patru* 'four' and *cinci* /činči/ 'five' are invariable e.g.

trei becuri
patru camere
cinci bani

D. Verbs

New verbal forms used in the text are:

are	he (she/it) has
au	they have
	from the verb a avea 'to have'
stau	I sit, I am sitting, they sit, they are sitting
stă	he (she/it) sits, he (she/it) is sitting
stăm	we sit, we are sitting
	from the verb a sta 'to sit', 'to stand', 'to reside'

Note that there is no continuous form for verbs in Romanian. Moreover, the present tense in Romanian can also be used to express intention cf. English 'I am going to. . . .', 'I'll . . .'. Thus *stă* may mean 'he sits', 'he'll sit' or 'he is sitting'. Henceforth in the book the continuous form of verbs will not be given for reasons of brevity.

3 VOCABULARY

Henceforth both the singular and plural forms of nouns are given. For adjectives the following four forms are listed: m./n. s., f. s., m. pl., f./n. pl.

adr**e**să – adr**e**se f. address
an – ani m. year
Andr**e**i m. Andrew
are vb. he (she/it) has
au vb. they have, they've got
a ave**a** vb. to have
ban – bani m. 1/100 unit of a leu (monetary unit)
bun, b**u**nă, buni, b**u**ne adj. good
c**a**să – c**a**se f. house
ce pron. what?
chibr**i**t – chibr**i**turi n. match (as in box of)
cinci /činčĭ/ num. inv. five
c**i**ne pron. who?
cîine – cîini m. dog
Dan m. Dan
doi m., d**o**uă f./n. num. two
d**u**lce, d**u**lce, dulci, dulci adj. sweet
El**e**na f. Helen
folosit**o**r, folosito**a**re, folosit**o**ri, folosito**a**re adj. useful
g**a**ră – găr i f. station
g**i**nere – g**i**neri m. son-in-law
grăd**i**nă – grăd**i**ni f. garden
i**a**rbă – i**e**rburi f. grass, herbs
i**a**rnă – ierni f. winter
ieri adv. yesterday
ingin**e**r – ingin**e**ri m. chartered engineer
l**e**u – lei m. lion, leu (monetary unit)
l**i**tru – l**i**tri m. litre
lîngă prep. near, beside
m**a**re, m**a**re, mari, mari adj. big
mic, m**i**că, mici, mici adj. small
mîine adv. tomorrow
om – o**a**meni m. man, person, people
p**a**tru num. inv. four
pin – pini m. pine tree
pix – p**i**xuri n. ball-point pen
pîine – pîini f. bread, loaf of bread
R**a**du m. Radu
sec, se**a**că, seci, seci adj. dry

senin, senină, senini, senine adj. bright
soacră – soacre f. mother-in-law
soare – sori m. sun
socru – socri m. father-in-law, parents-in-law
a sta vb. to sit, to reside, to stand
stau vb. I sit, they sit
stă vb. he (she/it) sits
stăm vb. we sit
sticlă – sticle f. bottle
sub prep. under
termen – termeni m. term. expression
trei num. inv. three
unde pron. where?
vin – vinuri n. wine

Phrases

am doi ani	I am two years old (lit. I have two years)
stăm la soare	we sit in the sun

■ 4 TEXT

Read the following text aloud several times. Remember that *-i* at the end of a word, when unstressed and unaccompanied by another vowel, is non-syllabic and scarcely audible except when preceded by consonant plus *l* or *r*.

Un pin. Un pin mic. Doi pini mici. Andrei are un cîine. Văd trei cîini mici. Văd un cîine pe iarbă. Doi cîini sînt în grădină. Cine stă în grădină? Doi oameni stau la soare. Stau pe iarbă. Au o sticlă cu vin sec. Andrei stă sub un pin în grădină. Andrei are trei ani. Elena are cinci ani. Elena are o pîine. Elena are trei lei. Andrei are cinci bani. Am doi socri. Au o casă mică. Ce are Radu? Radu are o casă mare. Cine are două case mari? Sînt la gară. Sînt oameni la gară. Văd doi oameni în gară. Cine stă la masă? Radu stă la masă. Radu are o sticlă cu bere. Avem două sticle cu vin dulce. Unde stă Andrei?

5 EXERCISES

A. Translate the text (4)

B. Translate

1. They have three litres of wine.
2. Dan has two bottles of dry wine.
3. Radu has one bottle of sweet wine.
4. They are at the station.
5. What does Dan have?
6. Dan has a glass of dry wine.
7. Where is Andrew sitting?
8. Andrew is sitting at a table under a tree.
9. Two people are at the station.
10. Helen has two loaves of bread.
11. Helen is five years old.
12. Radu has four lei.
13. Dan has a large wallet.
14. Radu has a small house.
15. Andrew has a big dog.
16. Helen has two small dogs.
17. Who has two large loaves?
18. I see five people by a table in the garden.
19. Tomorrow we'll sit in the garden.
20. Who has a match?
21. Radu is sitting in the garden in the sun.
22. Do they have matches?
23. I am sitting on the grass.
24. Radu has a good book.

C. Compare your answers with this key; then read the key aloud.

1. Au trei litri de vin.
2. Dan are două sticle cu vin sec.
3. Radu are o sticlă cu vin dulce.
4. Sînt la gară.
5. Ce are Dan?
6. Dan are un pahar cu vin sec.

7. Unde stă Andrei?
8. Andrei stă la o masă sub un pom.
9. Doi oameni sînt la gară.
10. Elena are două pîini.
11. Elena are cinci ani.
12. Radu are patru lei.
13. Dan are un portofel mare.
14. Radu are o casă mică.
15. Andrei are un cîine mare.
16. Elena are doi cîini mici.
17. Cine are două pîini mari?
18. Văd cinci oameni lîngă o masă în grădină.
19. Mîine stăm în grădină.
20. Cine are un chibrit?
21. Radu stă în grădină la soare.
22. Au chibrituri?
23. Stau pe iarbă.
24. Radu are o carte bună.

LESSON 3

■ 1 PRONUNCIATION

A. Diphthongs

ai /ai̯/ resembles the English diphthong in high and sigh. Examples:

ai	you have
stai	you stand

ea /e̯a/ and *ia* /ya/ are very similar sounds. They resemble the yu in the English child's exclamation yum-yum. However, the first element of /e̯a/ is more open than the first element of /ya/. Examples:

seară	evening	
dumneavoastră	you	
iar	and	but

It should be noted that the pronoun ea 'she' is pronounced paradoxically /ya/, and that *ia* may also represent /iya/ as in

România /ro-mî-ni-ya/
Anglia /an-gli-ya/

ei, *iei* /yei̯/ is like the ya of the English surname Yates. Example:

iei you take

The pronoun ei 'they' is also pronounced /yei̯/.

eu /yeu̯/ is like the yeo- of English yeoman although the /u̯/ element is given more stress in Romanian. Example:

eu I

ie /ye/ resembles the ye- of English yet. Examples:

iepure	hare	rabbit
ieri	yesterday	

ie may also represent /iye/. Example:

prieten /pri-ye-ten/ friend

In the initial position, in a few words presenting an orthography influenced by the latinizing current of the eighteenth century in Transylvania, *e* represents /ye/. Examples:

el	he	este	he is
e	he is	ele	they

ii /ii̯/ is found in the word copii 'children' and is pronounced like a lengthened /i/.

B. Consonants

ş /sh/ resembles the initial sh in English shut, shy. Examples:

şase six
şapte seven

The conjunction şi 'and' is pronounced like English she.

ţ /ts/ is similar to the ts in English cats, mats although the Romanian sound is crisper, being articulated with the tongue touching the back of the upper teeth. Examples:

ţară	country
aveţi	you have

j /zh/ resembles the sound represented by s in English measure, treasure. Examples:

joi	Thursday
jumătate	half

2 GRAMMAR

A. Nouns

We saw in Lesson 2 that masculine nouns take the ending *-i* to mark the plural. Those that end in a consonant form their plural by adding *-i* /ĭ/ to the singular:

român	Romanian	români	Romanians
englez	Englishman	englezi	Englishmen
american	American	americani	Americans

Sometimes the addition of *-i* /ĭ/ causes the final consonant to change:

rus	Russian	ruşi	Russians
diplomat	diplomat	diplomaţi	diplomats
brad	fir tree	brazi	fir trees
cal	horse	cai	horses

The plural englezi is sometimes pronounced as engleji.
Note this unusual masculine adjectival form:

preot ortodox	Orthodox priest	preoţi ortodocşi	Orthodox priests

Those masculine nouns that end in a vowel replace the vowel with *-i*. Remember that after consonant plus *l* or *r*, *-i* is pronounced /i/. Thus

kilometru	kilometre	kilometri	kilometres

Following a vowel, *-i* forms a diphthong

bou	ox	boi	oxen
leu	lion	lei	lions

In other cases it is pronounced /ĭ/

peşte	fish	peşti	fishes
dinte	tooth	dinţi	teeth

B. Noun usage

In Lesson 2 we met the phrase *sînt inginer* which generally translated means 'I am a chartered engineer'. Note that the indefinite article is usually omitted after the verb *a fi* 'to be' with nouns denoting occupation or nationality:

el este student	he is a student
ei sînt studenţi	they are students
el este englez	he is English

However, when the noun is qualified by an adjective the indefinite article is required in the singular:

el este un student bun	he is a good student
ei sînt studenţi buni	they are good students

From such masculine nouns are often derived feminine nouns denoting occupation or nationality:

un student	o studentă
un profesor	o profesoară
un englez	o englezoaică
un român	o româncă
un doctor	o doctoriţă

C. Pronouns

In the text of this lesson we shall be using a number of personal pronouns. They are

eu	I
el	he
ea	she
ei (m.)	they
ele (f.)	they

The personal pronouns are not used to refer to objects or animals.

The noun is either repeated or the subject simply omitted (note that in English it or they is used).

For the third person the following polite forms exist although today they are heard less often:

dumnealui	he
dumneaei	she
dumnealor	they (m. and f.)

D. Numerals

We saw in the previous lesson that the indefinite article *un*, *o*, when qualifying a noun, is used as the numeral 'one'. When the noun does not immediately follow the pronoun forms

unu (l)	(m./n.)
una	(f.)

must be used:

am o sticlă	I have a/one bottle
are una sau două sticle?	Does he have one or two bottles?
Avem două case. Una este mare.	We have two houses. One is big.

Unu (l)

When counting, or when used in association with another numeral, the form *unu* is used:

unu, doi, trei, patru	one, two, three, four etc.
are unu sau doi cîini?	Does he have one or two dogs?

In other cases the form *unul* is used:

Sînt doi ingineri. Unul este român.	There are two chartered engineers. One is Romanian.
Sînt două pahare. Unul este mare.	There are two glasses. One is large.

The cardinal numbers from 'six' to 'ten' are:

şase	six
şapte	seven
opt	eight

nouă	nine
zece	ten

Examples

zece ani	ten years
opt oameni	eight people

E. Verbs

Infinitives in Romanian are preceded by the particle *a* which corresponds to English 'to' e.g. *a veni* 'to come'. We have already met *a avea* 'to have' and *a sta* 'to stand', 'to sit'. The verb 'to be' is *a fi*. The forms of the present tense of these verbs are:

a avea

am	I have	avem	we have
ai	you have	aveţi	you have
are	he (she/it) has	au	they have

a fi

sînt	I am	sîntem	we are
eşti	you are	sînteţi	you are
este	he (she/it) has	sînt	they are

a sta

stau	I sit	stăm	we sit
stai	you sit	staţi	you sit
stă	he (she/it) sits	stau	they sit

a veni

vin	I come	venim	we come
vii	you come	veniţi	you come
vine	he (she/it) comes	vin	they come

Note that the 'you' endings in *-i* refer to one person and those in *-ţi* to one or more persons.

The 3rd person singular of *a fi* has two optional forms, *este* and *e* /ye/. The latter form is often used in speech and sometimes becomes *i* if preceded by a part of speech that ends in a vowel e.g. *ce-i* /cei/ 'what is?'

F. Word Order

In Romanian the subject of a verb is usually inverted in a question:

Cînd vin ei?	When are they coming?
Ce are Vasile?	What has Basil got?

In a statement the direct object usually follows the verb:

Eu am o sticlă	I have a bottle

However, the direct object may precede the verb for emphasis:

O sticlă am	I do have a bottle

If the verb in a simple statement has no direct object or is not qualified by an adverb, it often precedes the subject:

Vine un tren	A train is coming

Do not confuse this type of statement with an interrogative clause where the verb often precedes the subject:

Vine un tren?	Is a train coming?

3 VOCABULARY

From this lesson onwards verb forms already introduced in the grammar will not be repeated in the vocabulary.

american – americani m. American
Ana f. Ann
Anglia /angliya/ f. England
bou – boi m. ox
brad – brazi m. fir tree
cal – cai m. horse
cînd adv. when
copil – copii /ko-pii/ m. child
din prep. from
dinte – dinţi m. tooth
diplomat – diplomaţi m. diplomat
doctor – doctori m. doctor
doctoriţă – doctoriţe f. doctor (woman)
dumneaei pron. she
dumnealor pron. they

dumnealui pron. he

e /ye/ vb. he (she/it/there) is

ea /ya/ pron. she

ei /yei̯/ pron. m. they

el /yel/ pron. he

ele /yele/ pron. f. they

englez – englezi m. Englishman

englezoaică – englezoaice f. Englishwoman

este /yeste/ vb. he (she/it/there) is

eu /yeu̯/ pron. I

a fi vb. to be

iepure – iepuri m. hare

joi f. Thursday

kilometru – kilometri m. kilometre

maşină – maşini f. car, machine

Nicolae /Nicolaye/ m. Nicholas

nouă num. inv. nine

opt num. inv. eight

ortodox, ortodoxă, ortodocşi, ortodoxe adj. Orthodox

peşte – peşti m. fish

prieten – prieteni m. friend

preot – preoţi m. priest

profesoară – profesoare f. teacher (woman)

profesor – profesori (or profesor – profesori) m. teacher

român – români m. Romanian man

română – române f. Romanian woman

România /romîniya/ f. Romania

rus – ruşi m. Russian man

sau conj. or

Statele Unite n. pl. The United States

student – studenţi m. student

şapte num. inv. seven

şase num. inv. six

şi conj. and, also, too

tren – trenuri n. train

ţară – ţări f. country, land

una pron. num. f. one

unu(l) pron. num. m./n. one

Vasile m. Basil

a veni vb. to come
zece num. inv. ten

Phrases

un om de afaceri	a businessman
cu avionul	by plane
cu maşina	by car
cu trenul	by train

Note that the above three expressions are exceptional in that the definite article is used following a preposition cf. pe raft 'on *the* shelf'.

■ 4 TEXT

Read the following text aloud several times.
Eu sînt doctor. Ea este doctoriţă. Ei sînt doctori. Nicolae şi Vasile sînt studenţi. Ei sînt români. Eu sînt englez. Ea este englezoaică. El este american. Cine vine cu avionul? Eu vin cu avionul. Vasile vine cu trenul? Ei vin cu trenul. Unde sînt Nicolae şi Elena? El este la gară şi ea este în casă. Ce are Vasile? El are o carte. Cu cine este Vasile? Vasile este cu Andrei. Unde stau ei? Ei stau în grădină. Ce aveţi pe masă? Am cinci sticle cu vin şi zece pahare. Cînd vin ei? Ei vin joi. Mîine e joi. Ce este în gară? Un tren este în gară. Ce sînt Ana şi Vasile? Ei sînt români. Ei sînt din România. România este o ţară mare. Dumneaei este profesoară şi dumnealui este student. Elena şi Andrei sînt copii. Unde sînt ei? Ei sînt cu Radu. Radu e inginer. Radu are două case. Una este lîngă gară. Ei stau în grădină. Eu sînt englez. Eu sînt din Anglia. El este american. El este din Statele Unite.

5 EXERCISES

A. Translate the text (4)

B. Translate

1. I am a student.

2. I am English and come from England.
3. He is English too.
4. They are teachers.
5. They are Americans.
6. They are from the United States.
7. Radu is a diplomat.
8. I am a businessman.
9. I am coming by plane.
10. She is coming by car.
11. Who has two bottles of wine? Andrew does.
12. Who is coming tomorrow? Nicholas is.
13. What is Ann?
14. Ann is a teacher.
15. Where is she sitting?
16. She is sitting at the table.
17. Who is Andrew with?
18. Andrew is with Basil.
19. When are they coming?
20. They are coming on Thursday.
21. He is a priest.
22. He is Romanian.
23. He has two friends. One is a doctor.
24. He is a doctor too.
25. She is English.
26. Ann is Romanian.

C. Compare your answers with this key; then read the key aloud.

1. Sînt student(ă).
2. Sînt englez şi sînt din Anglia (sînt englezoaică şi sînt din Anglia).
3. Şi el este englez.
4. Ei sînt profesori.
5. Ei sînt americani.
6. Ei sînt din Statele Unite.
7. Radu este diplomat.
8. Eu sînt un om de afaceri.
9. Eu vin cu avionul.
10. Ea vine cu maşina.

11. Cine are două sticle cu vin? Andrei are două sticle cu vin.
12. Cine vine mîine? Nicolae vine mîine.
13. Ce este Ana?
14. Ana este profesoară.
15. Unde stă ea?
16. Ea stă la masă.
17. Cu cine este Andrei?
18. Andrei este cu Vasile.
19. Cînd vin ei?
20. Ei vin joi.
21. El este preot.
22. El este român.
23. El are doi prieteni. Unul este doctor.
24. Şi el este doctor.
25. Ea este englezoaică.
26. Ana este româncă.

Note that in replies to questions the verb of the question is often repeated in Romanian e.g. see sentences 11 and 12.

LESSON 4

1 PRONUNCIATION

Diphthongs

ău /ău/ is a glide from Rom. /ă/ to Rom. /u/. Example:

rău bad

iau /yau̯/ is a triphthong similar to the yow- of English yowl. Example:

iau I (they) take

io /yo/ is similar to the yo- in the English town York. Examples:

profesionist professional
dicţionar dictionary

ioa /yo̯a/ is a triphthong formed from /oa/ preceded by the semivowel /y/. Examples:

avioane aeroplanes
creioane pencils

iu /iu̯/ has no equivalent in English. It is a glide from Rom. /i/ to Rom. /u/. Examples:

doliu grief
fotoliu armchair

ou /ou̯/ is a glide from Rom. /o/ to Rom. /u/. Examples:

birou office
ou egg
nou new

ua /u̯a/ resembles wo- in English wonder. It is almost identical to Rom. /o̯a/ described in Lesson 2.1B. Example:

luaţi /lu-u̯atsĭ/ you take

ui /ui̯/ is something like the sound represented by ue in English suet. However, the /i̯/ element of the Rom. diphthong is pronounced as a full /i/. Examples:

lui his to him
pui chicken

2 GRAMMAR

A. Nouns

1. Feminine nouns ending in *-ă* form their plural by replacing this *-ă* by *-e*:

sticlă – sticle
casă – case
cameră – camere
apă – ape
soacră – soacre

or by *-i* /ĭ/:

gară – gări
grădină – grădini
lampă – lămpi

Those in *-e* take *-i* /ĭ/:

bere – beri
pîine – pîini
carte – cărţi

Those in *-ură* take *-uri* /urĭ/:

centură – centuri
prăjitură – prăjituri

Those in *-ie* take *-ii* (pronounced as the diphthong /ii/)

pălărie – pălării
hîrtie – hîrtii

Those in *-ea* take *-ele*

cafea – cafele
şosea – şosele

Note the plural forms of the last three types of noun which all appear in the vocabulary of this lesson.

2. Neuter nouns ending in a consonant form their plural by adding *-uri*:

chibrit – chibrituri
vin – vinuri
bec – becuri

or by adding *-e*:

pahar – pahare
portofel – portofele

Those in *-ou* add *-ri* to form the plural:

birou – birouri

Those in *-iu* take *-ii*:

fotoliu – fotolii

B. Pronouns

The use of the Romanian second person pronouns requires care. Whereas English has only one 'you', Romanian has the following:

tu	voi
dumneata	dumneavoastră

The number of people addressed, and the speaker's relationship to them, dictates the choice of pronoun:

tu is used when addressing one person and when that person is a relative or close friend of the speaker. It requires the second person singular of the verb.

tu may also be used to address a stranger if the speaker is hostile to him for any reason.

dumneata (usually abbreviated to *d-ta*) is also used when addressing one person, but when that person is a colleague or a subordinate. It may be peremptory or friendly. It too requires the second person singular of the verb.

voi is used to address two or more persons. It usually indicates that the speaker is on familiar terms with the addressees. It requires the second person plural of the verb.

dumneavoastră (usually abbreviated to *dvs.*) is used when addressing one or more persons and when that person/persons is superior in rank or age to the speaker. It can also be used to address a person/persons of equal standing or when the speaker does not know the addressee/s well e.g. addressing a stranger in the street. It indicates a respectful, courteous attitude on the part of the speaker. *Dvs. always* requires the second person plural of the verb, irrespective of the number of people addressed.

If in doubt as to which pronoun to use choose *dvs.*

C. Interrogative Adjective and Pronoun *cît*

Cît agrees in number and gender with the noun that it qualifies:

	m.	f.	n.
s.	cît	cîtă	cît
pl.	cîţi	cîte	cîte

Cîţi bani are el? How much money does he have?

Cîte sticle sînt? How many bottles are there?

Note the phrase Cît costă? How much does it cost?

D. Verbs

Here are more infinitives: *a ruga* 'to ask', *a face* 'to do', 'to make', *a vedea* 'to see', *a dormi* 'to sleep', *a auzi* 'to hear' and *a lua* 'to take'. Their present tense forms are:

a ruga		a face	
rog	rugăm	fac	facem
rogi	rugaţi	faci	faceţi
roagă	roagă	face	fac

a vedea		a dormi	
văd	vedem	dorm	dormim
vezi	vedeţi	dormi	dormiţi
vede	văd	doarme	dorm

a auzi		a lua is an irregular verb	
aud	auzim	iau	luăm
auzi	auziţi	iei	luaţi
aude	aud	ia	iau

Remember that there is no continuous form for verbs in Romanian. Thus *fac* can mean 'I make', 'I'll make', 'I am going to make' and 'I am making'.

E. Adverbs

The adverbs *şi* 'also', 'too' and *mai* 'still', 'in addition' are commonly used colloquially:

Vasile doarme la hotel. Şi Radu doarme la hotel.
Basil sleeps at the hotel. Radu too sleeps at the hotel.

Compare this statement with the following where *şi* is used as a conjunction:

Radu şi Vasile dorm la hotel Radu and Basil sleep at the hotel *şi . . . şi* means 'both . . . and':

Şi Radu şi Vasile dorm la hotel.	Both Radu and Basil sleep at the hotel.

When the subject is stressed it may follow the verb. In such cases *şi* accompanies the subject:

Doarme şi Radu la hotel.	Radu too is sleeping at the hotel.

mai precedes the verb:

Radu mai doarme.	Radu is still asleep.
Radu mai este în grădină.	Radu is still in the garden.
Radu mai pune un raft.	Radu is putting up another shelf.
Mai vrei o cafea?	Do you want another cup of coffee?

F. Negation

The negative particle *nu* is placed before the verb to indicate negation:

eu nu fac	I do not make	I won't make
el nu doarme	he isn't sleeping	he does not sleep
ei nu vin	they are not coming	they do not come

nu may be reduced before the present tense forms of a avea:

n-am	I don't have	n-avem	we don't have
n-ai	you don't have	n-aveţi	you don't have
n-are	he, she doesn't have	n-au	they don't have

nu is also required with the following adverbs and pronouns when they are used with a verb:

nimic	nothing
niciodată	never
nicăieri	nowhere
nimeni	nobody
nici	neither

eu nu văd nimic	I see nothing, I can't see anything
el nu vine niciodată	he never comes
nici ea nu vine	neither is she coming

n-am nici un ban	I haven't got a single penny (lit. I do not have a coin)
n-am nici o carte	I do not have a single book (lit. I do not have a book)
nimeni nu doarme	nobody is sleeping

or more commonly

nu doarme nimeni	nobody is sleeping
eu nu văd nicăieri un cîine	I can't see a dog anywhere

3 VOCABULARY

aeroport – aeroporturi n. airport
autobuz – autobuze n. bus
a auzi vb. to hear
avion – avioane n. aeroplane
bine adv. well, good
birou – birouri n. office, desk, study
cafea – cafele f. coffee, cup of coffee
centură – centuri f. belt
cît, cîtă, cîţi, cîte inter. pron., adj. how much?, how many?
creion – creioane n. pencil
da yes
de la prep. from
de unde adv. from where, where . . . from?
dicţionar – dicţionare n. dictionary
doamna (d-na) Mrs
domnul (dl.) Mr
a dormi vb. to sleep
dumneata (d-ta) pron. you
dumneavoastră (dvs.) pron. you
a face vb. to do, to make
fotoliu – fotolii n. armchair
hîrtie – hîrtii f. paper
a lua vb. to take, to have (in a restaurant)
mai adv. still, more, else
nicăieri adv. nowhere
nici conj. nor, not . . . either

niciodată adv. never
nimeni pron. nobody
nimic pron. nothing
noi pron. we
nou, nouă, noi, noi adj. new
nu no, not
ou – ouă n. egg
parc – parcuri n. park
paşaport – paşapoarte n. passport
pălărie – pălării f. hat
prăjitură – prăjituri f. teacake
profesionist, profesionistă, profesionişti, profesioniste adj. professional
pui – pui m. chicken
rău, rea, răi, rele adj. bad
rece, rece, reci, reci adj. cold
spre prep. towards
şi adv. also, too
şosea – şosele f. main road, A-road
taxi – taxiuri n. taxi
tramvai – tramvaie n. tram
troleibuz – troleibuze n. trolleybus
tu pron. you
a vedea vb. to see
voi pron. you

Phrases

te rog	please
vă rog	please
mulţumesc	thank you
ce mai faci?	how are you?
ce mai faceţi?	how are you?
bună dimineaţa	good morning
bună ziua	hello, good day, good afternoon
bună seara	good evening
noapte bună	good night
la revedere	goodbye

■ 4 READ THE FOLLOWING TEXTS ALOUD SEVERAL TIMES

Domnul Predescu: Bună dimineaţa. Ce mai faceţi?
Domnul Livescu: Mulţumesc, bine. Dar dumneavoastră?
Dl. Predescu: Şi eu bine. De unde iau, vă rog, un autobuz spre aeroport?
Dl. Livescu: Luaţi un autobuz de la hotel.
Dl. Predescu: Mulţumesc, la revedere.

Note the use of the pronoun *dumneavoastră* in the above text. Here it is used as the polite form between two acquaintances.

Radu: Bună dimineaţa, Vasile. Ce mai faci?
Vasile: Mulţumesc, bine. Dar tu?
R: Şi eu bine. De unde iau, te rog, un autobuz spre aeroport?
V: Iei un autobuz de la hotel.
R: Mulţumesc, la revedere.

Note the use here of the pronoun *tu*. It shows that Radu and Vasile are good friends.

Dl. Predescu: Bună dimineaţa, Vasile. Ce mai faci?
V: Mulţumesc, bine. Dar dumneavoastră?
Dl. Predescu: Şi eu bine. De unde iau, te rog, un autobuz spre aeroport?
V: Luaţi un autobuz de la hotel.
Dl. Predescu: Mulţumesc. Iei şi dumneata un autobuz?
V: Nu, eu iau un taxi.

Here Predescu uses *dumneata* to address Vasile because the latter is his junior. Vasile uses *dumneavoastră* to address Predescu because the latter is his senior.

Now read and study the following conversation:

Ana: Bună seara, Vasile. De unde vii?
Vasile: Bună seara. Vin de la birou.
A: Luăm o cafea la hotel?
V: Da. Luăm şi o prăjitură. Eu iau şi o bere.
A: Iau şi eu o bere.
V: Bine, la hotel au bere bună şi rece.

5 EXERCISES

A. Translate the Texts (4).

B. Translate

1. Where do I catch a bus for the airport from?
2. You catch a bus from the station.
3. Where is a pencil and paper?
4. Radu sleeps at the hotel.
5. Basil also sleeps at the hotel.
6. Ann does not sleep at the hotel.
7. She never comes to the hotel.
8. Will Basil have a cup of coffee? Yes, he will.
9. Is Radu sitting in the armchair? No, he isn't.
10. Do we still have some money? Yes, we do.
11. I have a new passport.
12. Romania has good main roads.
13. I see a dictionary on the desk.
14. Where is Ann from? She is from Romania.
15. Where is Ann coming from? She is coming from the airport.
16. Is a bus coming? I can't see a bus anywhere.
17. Hasn't anyone got a match? Nobody has a match.
18. There is a small park near the station.
19. Radu is at (translate in) the park.
20. He never has any money.

C. Compare your answers with this key; then read the key aloud.

1. De unde iau un autobuz spre aeroport?
2. Luaţi (iei) un autobuz de la gară.
3. Unde este un creion şi hîrtie?
4. Radu doarme la hotel.
5. Şi Vasile doarme la hotel.
6. Ana nu doarme la hotel.
7. Ea nu vine niciodată la hotel.
8. Vasile ia o cafea? Da, ia.
9. Radu stă în fotoliu? Nu, nu stă.
10. Mai avem bani? Da, mai avem.

11. Am un paşaport nou.
12. România are şosele bune.
13. Văd un dicţionar pe birou.
14. De unde este Ana? Ea este din România.
15. De unde vine Ana? Ana vine de la aeroport.
16. Vine un autobuz? Nu văd nicăieri un autobuz.
17. Nu are nimeni un chibrit? Nimeni nu are un chibrit.
18. Este un parc mic lîngă gară.
19. Radu este în parc.
20. El nu are niciodată bani.

LESSON 5 REVISION

Henceforth the vocabulary will introduce each lesson.

1 VOCABULARY

ambasadă – ambasade f. embassy
apartament – apartamente n. flat, apartment
apă – ape f. water, river
azi /azĭ/ adv. today
bec – becuri n. light bulb
bere – beri f. beer
bilet – bilete n. ticket
brînză – brînzeturi f. cheese, types of cheese
cameră – camere f. room
carte – cărţi f. book
hartă – hărţi f. map
hotel – hoteluri n. hotel
lampă – lămpi f. table-lamp
masă – mese f. table, meal
măr – mere n. apple
pahar – pahare n. glass
pat – paturi n. bed
pom – pomi m. fruit tree, tree

portofel – portofele n. wallet
pungă – pungi f. (plastic) bag
raft – rafturi n. shelf
taxi – taxiuri n. taxi
văr – veri m. cousin

2 TEXT

Read the following text aloud several times.

Eu văd un hotel. Am o cameră la hotel. Dorm în cameră. Am un pat. Dorm în pat. Am o masă în cameră. Pe masă este o lampă. Pun un bec în lampă. Pe masă este un pahar cu bere. Radu are două pahare cu bere. Andrei are trei sticle cu vin. Unde este Andrei? Andrei stă la o masă sub un pom. Unde este Elena? Elena este la gară. Andrei are un cîine mare. Elena are doi cîini mici. Radu are trei pîini mari. Sînt cinci oameni lîngă gară. Vasile este student. Vasile este un student bun. Radu şi Nicolae sînt studenţi. Ei sînt români. Ce este Ana? Ea este profesoară. Eu sînt un om de afaceri. Eu sînt englez. Eu sînt din Anglia. Ei sînt români. Ei sînt din România. Ei sînt oameni de afaceri. Eu sînt un diplomat american. Şi ei sînt diplomaţi americani. Anglia şi Statele Unite au şosele bune. Şi România are şosele bune. De unde este Andrei? El este din România. Radu stă la hotel? Nu, nu stă la hotel. Vasile ia o cafea? Da, ia. Cîţi bani mai avem? Mai avem zece lei. De unde vin ei? Ei vin de la gară. Vine un tren? Da, vine un tren. Nu ia nimeni o cafea? Nu, nimeni nu ia o cafea. Luăm o prăjitură? Da, luăm trei prăjituri şi două cafele.

3 EXERCISES

A. Check the genders and plural forms of the following nouns against those in the vocabularies:

apartament, apă, bec, bere, cameră, carte, hartă, hotel, lampă, masă, măr, om, pahar, pat, pom, portofel, raft, văr, adresă, an, ban, casă, chibrit, cîine, gară, ginere, grădină, iarbă, iarnă, inginer, leu, litru, pin, pîine, soare, sticlă, vin, bou, brad, cal, copil, dinte, diplomat, doctor, doctoriţă, joi, kilometru, peşte, prieten, profesoară, romancă, tren, ţară, aeroport, autobuz, avion, birou, cafea, creion, dicţionar, fotoliu, hîrtie, ou, parc, paşaport, pălărie, prăjitură, pui, şosea, tramvai, troleibuz.

B. Read aloud the following groups of words. Remember the rules governing the pronunciation of final *-i*:

Nouns

becuri, beri, cărţi, hărţi, lămpi, oameni, paturi, pomi, rafturi, veri, ani, bani, chibrituri, cîini, gări, gineri, grădini, ierburi, ierni, ingineri, lei, litri, pini, pîini, vinuri, boi, brazi, cai, copii, dinţi, diplomaţi, doctori, kilometri, peşti, prieteni, trenuri, ţări, aeroporturi, birouri, fotolii, hîrtii, parcuri, pălării, prăjituri, pui.

Forms of verbs

ai, aveţi, eşti, sînteţi, stai, staţi, vii, veniţi, faci, faceţi, vezi, vedeţi, dormi, dormiţi, iei.

Other words

cinci, ei, ieri, azi, mari, mici, şi, trei, buni, doi.

C. Supply the requisite form of the verb using *a avea*, *a fi*, *a lua* **and** *a veni*:

1. Unde ________ Ana?
2. Cînd ________ Ana?
3. Cîţi bani ________ noi?
4. El ________ un paşaport.
5. Radu ________ o prăjitură.
6. Andrei ________ patru ani.
7. Noi ________ de la gară.
8. Eu ________ o bere.
9. Ei ________ trei ouă.
10. Ana şi Radu ________ în apartament.

Key

1. Unde este Ana?
2. Cînd vine Ana?
3. Cîţi bani avem noi?
4. El are un paşaport.
5. Radu ia o prăjitură.
6. Andrei are patru ani.
7. Noi venim de la gară.
8. Eu iau o bere.
9. Ei iau trei ouă.
10. Ana şi Radu sînt în apartament.

D. Translate the text (2)

E. Translate

1. I am a student.
2. I am English.
3. I am an English student.
4. I have a room at the hotel.
5. There are two beds in the room.
6. Basil and Radu are Romanian.
7. Ann is also Romanian.
8. We are from Romania.
9. We are not staying in a hotel.
10. He is an American diplomat.
11. He is from the United States.
12. Where does he catch a bus for the airport from?
13. She is a good teacher.
14. We are good students.
15. They are American students.
16. She is a good doctor.
17. Ann has three bottles of wine.
18. One is a bottle of sweet wine.
19. I'll have a glass of wine and a cake.
20. We have two children.
21. Helen is five and Andrew is three.
22. Radu is coming by train.

23. He has ten lei in the wallet.
24. He has two cousins.
25. They are coming today.

F. Compare your answers with this key; then read the key aloud.

1. Sînt student (ă).
2. Sînt englez (englezoaică).
3. Sînt un student englez.
4. Am o cameră la hotel.
5. Sînt două paturi în cameră.
6. Vasile şi Radu sînt români.
7. Şi Ana este romîncă.
8. Sîntem din România.
9. Nu stăm la hotel.
10. El este un diplomat american.
11. El este din Statele Unite.
12. De unde ia un autobuz spre aeroport?
13. Ea este o profesoară bună.
14. Noi sîntem studenţi buni.
15. Ei sînt studenţi americani.
16. Ea este o doctoriţă bună.
17. Ana are trei sticle cu vin.
18. Una este o sticlă cu vin dulce.
19. Eu iau un pahar cu vin şi o prăjitură.
20. Noi avem doi copii.
21. Elena are cinci ani şi Andrei are trei ani.
22. Radu vine cu trenul.
23. El are zece lei în portofel.
24. El are doi veri.
25. Ei vin azi.

LESSON 6

1 VOCABULARY

bătrîn, bătrînă, bătrîni, bătrîne adj. old
Bucureşti m. Bucharest
ceai – ceaiuri n. tea, cup of tea
chiflă – chifle f. roll
ciocolată – ciocolate f. chocolate
costă vb. it (they) cost
dar conj. but
de loc adv. not at all
despre prep. concerning, about
englezeşte adv. (in) English
felie – felii f. slice
foarte adv. very
franţuzeşte adv. (in) French
frumos, frumoasă, frumoşi, frumoase adj. nice, beautiful
greu, grea, grei, grele adj. heavy, difficult
ieftin, ieftină, ieftini, ieftine adj. cheap
a invita vb. to invite
a îmbătrîni vb. to grow old
într- prep. in, into
Londra f. London
a lucra vb. to work
lung, lungă, lungi, lungi adj. long
mult adv. much
nemţeşte adv. (in) German
New York New York
numai adv. only
pentru prep. for
prost adv. poorly, badly
a pune vb. to put
puţin adv. (a) little
restaurant – restaurante n. restaurant
româneşte adv. (in) Romanian
ruseşte adv. (in) Russian
scaun – scaune n. chair

scump, scumpă, scumpi, scumpe adj. affectionate, expensive
scurt, scurtă, scurţi, scurte adj. short
a sosi vb. to arrive
student – studenţi m. student
studentă – studente f. student
a şti vb. to know
a tăcea vb. to be silent
tînăr, tînără, tineri, tinere adj. young
tort – torturi n. layer cake, gateau
tot adv. also, still, continuously
unt n. butter
uşor, uşoară, uşori, uşoare adj. light, easy
viză – vize f. visa
vîrstă – vîrste f. age
a vorbi vb. to talk, to speak
zbor – zboruri n. flight

Phrases

cît costă?	how much does it/do they cost?
aşa şi aşa / ashashĭ asha/	so so, not too bad
limba română	the Romanian language, Romanian
a invita la masă	to invite to a meal
poftim?	pardon?
pe curînd	see you soon
a avea noroc	to be lucky
cum se spune pe româneşte?	how do you say in Romanian?

2 GRAMMAR

A. Adjectives

Adjectival forms were discussed in Lesson 2. With several common adjectives the addition of the adjectival endings produces radical changes:

	m.	f.	n.
s.	greu	grea	greu
pl.	grei	grele	grele

	m.	f.	n.
s.	uşor	uşoară	uşor
pl.	uşori	uşoare	uşoare

	m.	f.	n.
s.	frumos	frumoasă	frumos
pl.	frumoşi	frumoase	frumoase

Remember that the adjective usually follows the noun. When two adjectives qualify a noun they can be linked by *şi*:

o pălărie ieftină şi frumoasă	a beautiful cheap hat
o iarnă lungă şi grea	a long, difficult winter

Note the position of the adjective in the following.

un pahar mare cu bere	a large glass of beer
o prăjitură mică de ciocolată	a small chocolate cake

B. Numerals

The numerals 11 to 20 are:

11	unsprezece			
12	doisprezece	m.	douăsprezece	f./n.
13	treisprezece			
14	paisprezece			
15	cincisprezece			
16	şaisprezece			
17	şaptesprezece			
18	optsprezece			
19	nouăsprezece			
20	douăzeci			

From 20 onwards the numbers are linked to the noun by *de*:

treisprezece copii	thirteen children
optsprezece ani	eighteen years

but

douăzeci de lei	twenty lei

In colloquial speech the *-sprezece* element is reduced to *şpe*. Thus:

unşpe, doişpe, treişpe, paişpe, cinşpe, şaişpe, şapteşpe, opşpe, nouăşpe

Note the colloquial form *cinşpe*

C. Verbs

The Present Tense

There are four principal conjugations or families of verbs in Romanian. They are distinguished by the endings of the infinitive. The first conjugation, the most common, is that with an infinitive in *-a*:

a invita	to invite

Its present tense is

invit	invităm
inviţi	invitaţi
invită	invită

Many verbs of this type are characterized by forms with *-ez* in their present tense:

a lucra	to work

lucrez	lucrăm
lucrezi	lucraţi
lucrează	lucrează

The second conjugation, which has far fewer verbs, has an infinitive in *-ea*. *a vedea* 'to see' from Lesson 4 belongs to this family. Another verb is

a tăcea	to be silent

Its present tense is

tac	tăcem
taci	tăceţi
tace	tac

The third conjugation has an infinitive in *-e*. *a face* 'to do' belongs to this family. Another verb is

a p**u**ne   to put

Its present tense is

pun	p**u**nem
pui	p**u**neţi
p**u**ne	pun

The fourth conjugation includes a large number of verbs with an infinitive in *-i*. Most of these are characterized by present tense forms in *-esc*:

a vorb**i**   to talk   to speak

vorb**e**sc	vorb**i**m
vorb**e**şti	vorb**i**ţi
vorb**e**şte	vorb**e**sc

The verbs *a sosi* 'to arrive' and *a îmbătrîni* 'to grow old' conjugate like *a vorbi*. Other verbs in this conjugation follow the model of *a dormi* 'to sleep' from Lesson 4. A common verb of this conjugation is

a şti   to know

Its present tense is

ştiu	ştim
ştii	ştiţi
şt**i**e	ştiu

Note how in the first conjugation there is a concordance between the forms of the third person singular and the third person plural e.g. *invită* 'he invites', *invită* 'they invite'. In the other conjugations there is a concordance between the first person singular and the third person plural e.g. *vorbesc* 'I talk', *vorbesc* 'they talk'.

D. Adverbs

The adverbs

englezeşte
franţuzeşte
nemţeşte
româneşte
ruseşte

can only be used with a verb and cannot function as adjectives or nouns:

el vorbeşte bine româneşte	he speaks Romanian well
ea nu ştie nemţeşte	she doesn't know German

The adverb *tot* is widely used. It can mean 'also', 'still' or 'continuously' depending on the context in which it is used:

Andrei este tot la gară	Andrew is stili at the station
Elena tot nu ştie englezeşte	Helen still doesn't know English
eu lucrez tot la ambasadă	I also work at the embassy
el tot vorbeşte	he keeps on talking

E. Prepositions

When followed by an indefinite article *în* is replaced by *într-*

într-o gară	in a station
într-un apartament	in a flat

But remember

în gară	in the station
în apartament	in the flat

Note that the preposition *la* means both 'at' and 'to':

sînt la gară	I am at the station
vin la gară	I am coming to the station

The preposition *pentru* 'for' presents no problems:

am un bilet pentru Andrei	I have a ticket for Andrew

3 CONVERSATION

Vasile:	Bună dimineaţa Nicolae.
Nicolae:	Bună dimineaţa Vasile.
V:	Ce mai faci, Nicolae?
N:	Bine, mulţumesc. Dar tu?
V:	Aşa şi aşa.
N:	De ce?
V:	Îmbătrînesc . . .
N:	Dar ce vîrstă ai?
V:	Am nouăsprezece ani . . .
N:	Poftim?
V:	Am nouăsprezece ani. Sînt un student bătrîn.
N:	Şi eu am nouăsprezece ani şi sînt student dar nu sînt bătrîn de loc. Sînt foarte tînăr.
V:	Ai noroc. Mai vorbim. Eu iau un autobuz spre gară. La revedere.
N:	Pe curînd, Vasile.

4 TEXT

Read the following text aloud several times:

George soseşte la Bucureşti cu avionul. El este englez şi vorbeşte puţin româneşte. El este student şi are un paşaport cu o viză pentru România. Nicolae este român şi este tot student. El vorbeşte bine englezeşte. Şi el este la aeroport. George merge la autobuz. Şi Nicolae merge la autobuz. În autobuz George vorbeşte cu Nicolae:

– Cît costă un bilet de autobuz?
– Un bilet de autobuz costă un leu. Nu sînteţi român.
– Nu, nu sînt român, sînt englez.
– Dar vorbiţi bine româneşte. Pentru englezi este uşoară limba română?
– Nu, nu este uşoară de loc.

Ei mai vorbesc despre limba română şi despre Bucureşti.

5 EXERCISES

A. Supply the correct form of the verb

1. Eu lucr ________ într-un birou.
2. El invit ________ o studentă la masă.
3. Noi lu ________ un ceai.
4. Ei vorb ________ bine englezeşte.
5. Dvs. şti ________ româneşte?
6. Cît cost ________ un bilet de tren pentru Londra?
7. Azi est ________ un zbor spre New York.
8. Ea pun ________ un ceai, o chiflă cu unt şi o felie de tort pe birou.
9. Ce limbi vorb ________ Nicolae?
10. George nu şti ________ ruseşte.

Compare your answers with this key:

1. lucrez
2. invită
3. luăm
4. vorbesc
5. ştiţi
6. costă
7. este
8. pune
9. vorbeşte
10. ştie

B. Translate the text (4).

C. Translate

1. I am English.
2. I speak Romanian a little.
3. I do not speak Russian at all.
4. I have a visa for Romania.
5. Where do I get a train ticket to London from?
6. Where do I get a plane ticket to New York from?
7. We have cheap tickets.

8. Does Radu speak English well? No, he doesn't.
9. Does Helen talk a lot? Yes, she does.
10. What languages does he speak?
11. He speaks Romanian and English.
12. Does Mrs Popescu speak German? No, she doesn't speak German but she speaks French and Russian.
13. Who are they speaking Romanian with?
14. They are speaking Romanian with Andrew and Radu.
15. Is Romanian difficult? So so.
16. How much does a cup of tea and a roll with butter cost?
17. How much is a piece of cake?
18. How much is a tea cake?
19. How many tickets do they have?
20. How many chairs are there in the room?
21. I work at the embassy.
22. She works in an office.
23. We also work in an office.
24. They work hard.

D. Compare your answers with this key; then read the key aloud.

1. Eu sînt englez.
2. Vorbesc puţin româneşte.
3. Nu vorbesc de loc ruseşte.
4. Am o viză pentru România.
5. De unde iau un bilet de tren pentru Londra?
6. De unde iau un bilet de avion pentru New York?
7. Avem bilete ieftine.
8. Radu vorbeşte bine englezeşte? Nu, nu vorbeşte bine.
9. Elena vorbeşte mult? Da, vorbeşte mult.
10. Ce limbi vorbeşte el?
11. El vorbeşte româneşte şi englezeşte.
12. Doamna Popescu vorbeşte nemţeşte? Nu, ea nu vorbeşte nemţeşte dar vorbeşte franţuzeşte şi ruseşte.
13. Cu cine vorbesc ei româneşte?
14. Ei vorbesc româneşte cu Andrei şi Radu.
15. Este grea limba română? Aşa şi aşa.
16. Cît costă un ceai şi o chiflă cu unt?
17. Cît costă o felie de tort?

18. Cît costă o prăjitură?
19. Cîte bilete au ei?
20. Cîte scaune sînt în cameră?
21. Eu lucrez la ambasadă.
22. Ea lucrează într-un birou.
23. Noi lucrăm tot într-un birou / Şi noi lucrăm într-un birou.
24. Ei lucrează mult.

LESSON 7

1 VOCABULARY

acasă adv. (at) home, homewards
acolo adv. there
acum adv. now
aici adv. here
aşa adv. so, in this way
cantină – cantine f. refectory
a citi vb. to read
citronadă – citronade f. lemonade
cofetărie – cofetării f. coffee shop, confectioner's
a da vb. to give
de ce inter. adv. why?
deci conj. therefore
doamna (d-na) Mrs
doamnă – doamne f. lady
domn – domni m. gentleman, man
domnişoara (d-şoara) Miss
domnişoară – domnişoare f. young lady
domnul (dl.) Mr
Franţa f. France
îngheţată – îngheţate f. ice-cream
a învăţa vb. to learn
limbă – limbi f. language
limonadă – limonade f. lemonade

manual – manuale n. text-book
mult, multă, mulţi, multe adj. much
munte – munţi m. mountain
nişte inv. adj. some
puţin, puţină, puţini, puţine adj. few, little
a scrie vb. to write
scrisoare – scrisori f. letter
străin, străină, străini, străine adj. foreign
şezlong – şezlonguri n. deck-chair
timp – timpuri n. weather, time
a trimite vb. to send
universitate – universităţi f. university
vreme – vremi (or vremuri) f. weather, time
zilnic adv. daily

Phrases

limba engleză	English, the English language
limba franceză	French, the French language
limba germană	German, the German language
limba rusă	Russian, the Russian language
a lua masa	to have a meal
cum te numeşti?	what is your name?
mă numesc	my name is
de mult	for a long time now
de puţin timp	for a short time
de puţină vreme	for a short time
aşa este	that is so, that is true

2 GRAMMAR

A. The Case-System

Nouns, pronouns, adjectives and some other parts of speech in Romanian decline i.e. they change their endings to indicate their function in a phrase or clause. The specific endings used to designate this function are called case-endings. Romanian has five cases, traditionally called

Nominative (N) or Subject case
Vocative (V) or Case of address
Accusative (A) or Direct-Object case
Genitive (G) or Possessive case
Dative (D) or Indirect-Object case

As there is a common form for the Nominative and Accusative cases on the one hand, and for the Genitive and Dative on the other, we can simplify the presentation of case forms in this book by using the initials N/A and G/D (for the Vocative case see this lesson 2C).

We begin with the indefinite article:

		s.	
	m.	f.	n.
N/A	un	o	un
G/D	unui	unei	unui

		pl.	
	m.	f.	n.
N/A		(nişte)	
G/D	unor	unor	unor

There is no special form for the N/A plural of the indefinite article. One can express the indefinite form of a noun in the N/A plural without an article or by the indefinite adjective *nişte* which is invariable and means 'some':

un student	a student
unui student	of, for, to a student
nişte studenţi	students, some students
unor studenţi	of, for, to (some) students

o studentă	a girl student
unei studente	of, for, to a girl student
nişte studente	girl students, some girl students
unor studente	of, for, to some girl students

Note that *unui* precedes a masculine or neuter noun in the singular, and *unei* precedes a feminine noun in the singular. The form of the feminine noun in the singular is the same as that of the plural e.g. *unei studente*. Therefore, *in order to use the genitive singular form of a feminine noun one must know its plural form.* Note these examples; we have, of course, already used the N/A form of nouns in many phrases.

un student vine la aeroport	a student is coming to the airport
văd un student la aeroport	I see a student at the airport
eu dau o carte unui student	I give a book to a student
o studentă stă la masă	a girl student is sitting at the table
el invită o studentă la masă	he invites a girl student to a meal
eu dau o carte unei studente	I give a book to a girl student
studenţi vin la universitate	students come to the university
vedem studente la universitate	we see girl students at the university
eu dau cărţi unor studente	I give books to (some) girl students

B. Indefinite Forms of Nouns

Masculine

	s.	pl.
N/A	un prieten	prieteni
G/D	unui prieten	unor prieteni
N/A	un munte	munţi
G/D	unui munte	unor munţi

Feminine

	s.	pl.
N/A	o casă	case
G/D	unei case	unor case
N/A	o gară	gări
G/D	unei gări	unor gări
N/A	o pîine	pîini
G/D	unei pîini	unor pîini

N/A	o pălărie	pălării
G/D	unei pălării	unor pălării
N/A	o cafea	cafele
G/D	unei cafele	unor cafele

Neuter

	s.	pl.
N/A	un tren	trenuri
G/D	unui tren	unor trenuri
N/A	un pahar	pahare
G/D	unui pahar	unor pahare
N/A	un birou	birouri
G/D	unui birou	unor birouri
N/A	un fotoliu	fotolii
G/D	unui fotoliu	unor fotolii

C. Vocative Case

The Vocative case of nouns is used when addressing people. Usually the forms of the Vocative are the same as those of the Nominative and Accusative. However, certain suffixes may also be used. With masculine nouns *-e* or *-(u)le* may sometimes be added in the singular:

vezi, Radule!	you see, Radu!
domnule!	sir!
Doamne!	Lord!
Nicule!	Nicholas! Nick!

With feminine nouns *-o* may replace *-a* in the singular;

Ano!	Ann!
Eleno!	Helen!

With nouns in the plural, irrespective of gender, *-lor* may be suffixed:

doamnelor şi domnilor! ladies and gentlemen!

colegilor!	colleagues!

D. Verbs

1. *a învăţa* 'to learn' belongs to the first family or conjugation of verbs. Its present tense forms are

învăţ	învăţăm
înveţi	învăţaţi
învaţă	învaţă

a trimite 'to send' and *a scrie* 'to write' belong to the third conjugation. Their present tense forms are

trimit	trimitem
trimiţi	trimiteţi
trimite	trimit

scriu	scriem
scrii	scrieţi
scrie	scriu

a citi 'to read' belongs to the fourth conjugation

citesc	citim
citeşti	citiţi
citeşte	citesc

a da 'to give' is an irregular verb. Its present tense forms are similar to those of a *a sta* (see Lesson 3)

dau	dăm
dai	daţi
dă	dau

2. The present tense is used in Romanian where English uses such forms as 'I have been sitting', 'I have been reading'. In such cases the adverbial constructions *de mult*, *de puţin timp*, *de puţină vreme* are often used:

citesc de mult această carte	I have been reading this book for a long time
învăţăm de puţin timp limba franceză	we have been learning French for a short time

E. Adverbs

The adverbs *acum* 'now' and *aici* /a-ičĭ/ 'here' both have alternative forms *acuma* and *aicea*. There is no difference in meaning and usage between these forms.

■ 3 CONVERSATION

Radu şi Ana sînt studenţi la universitate. Ei învaţă limbi străine.

R: Bună ziua. Cum te numeşti?
A: Mă numesc Ana Predescu.
R: Eu mă numesc Radu. Radu Popescu. Sînt student la universitate. Învăţ limba franceză.
A: Şi eu sînt studentă. Învăţ limba engleză. Nu este o limbă grea. Vorbesc, citesc şi scriu bine englezeşte. Am multe prietene în Anglia şi trimit zilnic o scrisoare în englezeşte unei prietene. Dar tu, vorbeşti bine franţuzeşte?
R: Aşa şi aşa. Învăţ numai de puţin timp. Nu am prieteni în Franţa. Vorbesc limba franceză numai la universitate.
A: Ce limbi mai vorbeşti?
R: Vorbesc limba germană. Dar tu?
A: Eu vorbesc puţin ruseşte.
R: Ce frumos! Limba rusă este o limbă grea.
A: Radule, unde iei tu masa?
R: Iau masa la cantină.
A: Iei masa acum?
R: Da, vii şi tu?
A: Da, vin şi eu. Mai vorbim la masă.

Note that with the verb *a învăţa* the phrases *limba română*, *limba franceză* etc. are preferred to the adverbs *româneşte*, *franţuzeşte* etc.

4 EXERCISES

A. Complete the blanks

1. Ana înv ________ de mult limba engleză.
2. Mă num ________ Radu Popescu.

3. Eu cit ________ mult ________ cărţi.
4. Ei scri ________ scrisori un ________ prieteni.
5. Domnul Predescu dă o carte un ________ student.
6. Puţin ________ oameni cit ________ nemţeşte.
7. Radule, de ce nu înv ________ limba rusă?
8. Noi lu ________ masa la cantină.
9. Eu nu vorb ________ bine nemţeşte.
10. Ce fac ________ doamna Predescu?

Compare your answers with this key

1. învaţă
2. numesc
3. citesc, multe
4. scriu, unor
5. unui
6. puţini, citesc
7. înveţi
8. luăm
9. vorbesc
10. face

B. Translate

1. I am a student at the university and I speak a little Romanian.
2. I read and write Romanian well.
3. I have a Romanian text-book.
4. He is learning Romanian.
5. Few English people speak Romanian.
6. Many Romanians speak French well.
7. I see a restaurant over there.
8. We'll have a meal now.
9. Radu and Helen are in a coffee shop.
10. Radu, what will you have?
11. I'll have a cup of coffee and a cake. But what will you have, Helen? (translate But you, Helen, what will you have?)
12. I'll have an ice-cream and a lemonade.
13. What are you doing, Nicholas?
14. I am reading a letter from a friend.
15. What are you doing, Mr Predescu?

16. I am writing a letter to a friend.
17. They are sending some money to friends.
18. We are giving some books to some students.
19. We see some people in the park.
20. They are sitting in deck-chairs in the sun.
21. Ann is writing to a friend in England.
22. She is writing in English.
23. Why is she writing in English?
24. Few English people know Romanian.
25. They do not learn foreign languages.

C. Compare your answers with this key; then read the key aloud.

1. Eu sînt student la universitate şi vorbesc puţin româneşte.
2. Citesc şi scriu bine româneşte.
3. Am un manual de limba română.
4. El învaţă limba română.
5. Puţini englezi vorbesc româneşte.
6. Mulţi români vorbesc bine franţuzeşte.
7. Văd acolo un restaurant.
8. Luăm masa acum.
9. Radu şi Elena sînt într-o cofetărie.
10. Radule, ce iei?
11. Iau o cafea şi o prăjitură. Dar tu, Eleno, ce iei?
12. Iau o îngheţată şi o limonadă.
13. Ce faci, Nicule?
14. Citesc o scrisoare de la un prieten.
15. Ce faceţi, domnule Predescu?
16. Scriu o scrisoare unui prieten.
17. Ei trimit nişte bani unor prieteni.
18. Dăm nişte cărţi unor studenţi.
19. Vedem nişte oameni în parc.
20. Ei stau în şezlonguri la soare.
21. Ana scrie unei prietene/ unui prieten în Anglia.
22. Ea scrie în englezeşte.
23. De ce scrie în englezeşte?
24. Puţini englezi ştiu româneşte.
25. Ei nu învaţă limbi străine.

LESSON 8

1 VOCABULARY

animal – animale n. animal
aproape adv. nearby
apropo adv. by the way
băiat – băieţi m. boy, son
britanic, britanică, britanici, britanice adj. British
că conj. that
cămin – cămine n. hostel, hall of residence
conversaţie – conversaţii f. conversation
curat, curată, curaţi, curate adj. clean
de altfel adv. as a matter of fact, moreover
familie – familii f. family
fată – fete f. girl, daughter
fel – feluri n. kind, sort
fiindcă conj. because
francez, franceză, francezi, franceze adj. French
între prep. between
la fel adv. alike, the same
lat, lată, laţi, late adv. wide
mamă – mame f. mother
a merge vb. to go
minut – minute n. minute
mînă – mîini f. hand
murdar, murdară, murdari, murdare adj. dirty
a pleca vb. to leave
plecare – plecări f. departure
poezie – poezii f. poem, poetry
poliţist, poliţistă, poliţişti, poliţiste adj. detective
roman – romane n. novel
a săruta vb. to kiss
a spune vb. to say, to tell
tată – taţi m. father
text – texte n. text
valabil, valabilă, valabili, valabile adj. valid
vechi, veche, vechi, vechi adj. old

volum – volume n. volume
a zice vb. to say

Phrases

sărut mîna	lit. I kiss your hand (used when addressing or taking one's leave of a lady)
dacă nu vă supăraţi	if you don't mind
îmi pare bine	I am glad
îmi pare rău	I am sorry
ce fel de . . . ?	what kind of . . . ?
drum bun	good journey

2 GRAMMAR

A. The Definite Article

Unlike the other Romance languages Romanian suffixes the definite article to the noun. Its form changes according to the number and gender of the noun.

1. Masculine nouns
The definite article forms of masculine nouns ending in a consonant are

	s.	
N/A	studentul	the student
G/D	studentului	of, to, for the student
	pl.	
N/A	studenţii	the students
G/D	studenţilor	of, to, for the students

The definite article forms of masculine nouns ending in *-e* are

	s.	pl.
N/A	muntele	munţii
G/D	muntelui	munţilor

The definite article forms of masculine nouns ending in *-u* are

	s.	pl.
N/A	leul	leii
G/D	leului	leilor

Note that the pronunciation of the *-ii* ending of *studenţii*, *munţii* and *leii* is /i/ and that the *-i* of *-ilor* in *studenţilor*, *munţilor* and *leilor* is syllabic i.e. it is also pronounced /i/ cf. the final *-i* of the indefinite forms *studenţi*, *munţi* which are pronounced /ĭ/.

The masculine noun *tată* 'father' has two forms with the definite article in the N/A singular

tatăl
tata

tatăl is used more often in a religious context e.g. *Tatăl nostru* 'Our Father'.

tata is used by children as the equivalent of 'Dad', 'Daddy'.

2. Feminine nouns
The definite article forms of feminine nouns ending in *-ă* are

	s.	
N/A	casa	the house
G/D	casei	of, to, for the house

	pl.	
N/A	casele	the houses
G/D	caselor	of, to, for the houses

The definite article forms of feminine nouns ending in *-e* are

	s.	pl.
N/A	cartea	cărţile
G/D	cărţii	cărţilor

The definite article forms of feminine nouns ending in *-ie* are

	s.	pl.
N/A	pălăria	pălăriile
G/D	pălăriei	pălăriilor

The definite article forms of feminine nouns ending in *-ea* are

	s.	pl.
N/A	cafe**a**ua	caf**e**lele
G/D	caf**e**lei	caf**e**lelor

Note that

a) the G/D singular of feminine nouns is formed by adding an *-i* to the N/A plural indefinite form (with nouns of the type *pălărie* we would thus expect a G/D singular *pălăriii* but this ending is dissimilated to *-iei*).
b) in the N/A plural the *-i* of *-ile* is a syllabic /i/ cf. the final *-i* of the indefinite plural which is pronounced /ĭ/.

3. Neuter nouns

The definite article forms of neuter nouns ending in a consonant are

	s.	
N/A	trenul	the train
G/D	trenului	of, to, for the train

	pl.	
N/A	trenurile	the trains
G/D	trenurilor	of, to, for the trains

	s.	pl.
N/A	pah**a**rul	pah**a**rele
G/D	pah**a**rului	pah**a**relor

The definite article forms of neuter nouns ending in *-ou* are

	s.	pl.
N/A	bir**o**ul	bir**o**urile
G/D	bir**o**ului	bir**o**urilor

The definite article forms of neuter nouns ending in *-iu* are

	s.	pl.
N/A	fot**o**liul	fot**o**liile
G/D	fot**o**liului	fot**o**liilor

4. The definite article is used in Romanian

a) in apposition:
doctorul Stănescu
domnul Predescu
Şoseaua Kiseleff

b) with nouns indicating family relationships:

mama nu este aici	mother is not here

c) in a general sense:

omul este un animal superior	man is a superior animal

cf. Lesson 14 2B 1.

îmi place cafeaua	I like coffee

Note these examples of the use of the definite article in various case forms:

studentul vine la aeroport	the student is coming to the airport
casa studentului este mare	the student's house is large
aici este casa unui prieten	here is the house of a friend
eu dau cartea unui student	I give the book to a student
pălăria doamnei este frumoasă	the lady's hat is nice
căminul studenţilor este mic	the students' hostel is small
eu dau doctorului cartea	I give the book to the doctor (lit. I give to the doctor the book)
eu dau profesorului cărţile	I give the books to the teacher (lit. I give to the teacher the books)

In the last two examples, if we were to say

eu dau cartea doctorului
eu dau cărţile profesorului

the meaning would be ambiguous. The first of the two examples could mean either 'I give the book to the doctor' or 'I give the book of the doctor (the doctor's book)'. The second could mean either 'I give the books to the teacher' or 'I give the books of the teacher (the teacher's books)'. By using the order

eu dau doctorului cartea
eu dau profesorului cărţile

such ambiguity is avoided.

5. In Lesson 1 we saw that following prepositions the indefinite form of the noun is used where in English we would use the definite article:

c**ă**rţile sînt în bir**o**u	the books are in the study
dorm la hot**e**l	I sleep at the hotel
merg la ambas**a**dă	I am going to the embassy

However, if the noun is qualified by an adjective, by an adjectival phrase, or by a noun in apposition, the definite form of the noun is used:

c**ă**rţile sînt în bir**o**ul meu	the books are in my study
dorm la hot**e**lul Intercontinent**a**l	I sleep at the Intercontinental hotel
merg la ambas**a**da franc**e**ză	I am going to the French embassy

B. Verbs

The verb *a pleca* 'to depart', 'to leave' belongs to the first conjugation. Its present tense forms are

plec	plec**ă**m
pleci	plec**a**ţi
ple**a**că	ple**a**că

a merge 'to go' is a third conjugation verb

merg	m**e**rgem
mergi	m**e**rgeţi
merge	merg

a spune 'to say', 'to tell' and *a zice* 'to say' are also third conjugation verbs

spun	sp**u**nem
spui	sp**u**neţi
sp**u**ne	spun

zic	z**i**cem
zici	z**i**ceţi
z**i**ce	zic

When introducing an indirect statement both *a spune* and *a zice* are followed by *că* 'that' e.g.

el spune că berea este bună — he says that the beer is good

a spune is considered more elegant than the colloquial *a zice*. *că* may also follow such verbs as *a şti* and *a vedea*

ştiu că el este student — I know that he is a student
văd că ea este acasă — I see that she is at home

■ 3 CONVERSATION

O conversaţie între doamna Livescu şi domnul Predescu.

Dl. P: Sărut mîna, doamnă Livescu.
D-na L: Bună ziua, domnule Predescu.
Dl. P: Ce mai faceţi?
D-na L: Bine, mulţumesc. Dar dvs.?
Dl. P: Şi eu la fel.
D-na L: Văd că aveţi două cărţi în mînă. Dacă nu vă supăraţi, ce cărţi sînt?
Dl. P: Am un roman poliţist şi un volum de poezii. Dar şi dvs. aveţi o carte. Ce fel de carte este?
D-na L: Este un manual de limba engleză. Învăţ limba engleză fiindcă merg la Londra. Apropo, nu ştiţi unde este ambasada britanică?
Dl. P: Nu ştiu, îmi pare rău. Dar ştiu unde este ambasada franceză.
D-na L: Mulţumesc, dar am viza franceză.
Dl. P: Plecaţi cu trenul?
D-na L: Da, plec joi cu trenul.
Dl. P: Ştiţi că şi băiatul doamnei Popescu pleacă la Londra, dar el merge cu avionul.
D-na L: Ştiu că merge. De altfel acum merg la familia Popescu. Casa doamnei Popescu este aproape. Iau masa acolo.
Dl. P: La revedere, doamnă, şi drum bun în Anglia.
D-na L: Mulţumesc, la revedere.

4 EXERCISES

A. Complete the blanks

1. Noi merg ______ la gară cu autobuz ______.

2. Cămin ________ studenţ ________ este lîngă şosea.
3. Doamna Predescu spun ________ că biletul băiat ________ este valabil.
4. Unde plec ________ voi?
5. Ana are două roman ________ poliţiste.
6. Eu dau carte ________ une ________ prieten ________.
7. Tren ________ pleacă în do ________ minute.
8. Ei dau banii oamen ________ de afaceri.
9. Bilet ________ copiilor sînt în portofel.
10. Noi ved ________ maşina domn ________ Predescu la hotel.

Compare your answers with this key

1. mergem, autobuzul
2. căminul, studenţilor
3. spune, băiatului
4. plecaţi
5. romane
6. cartea, unei, prietene
7. trenul, două
8. oamenilor
9. biletele
10. vedem, domnului

B. Translate

1. Where is the station? I don't know.
2. What is Radu saying? He says that the hotel is nearby.
3. Is the hostel clean or dirty? The hostel is clean but the hotel is dirty.
4. When does the train depart? It leaves in ten minutes.
5. The student is going to the station by bus.
6. The student's ticket is valid but the diplomat's ticket is not.
7. The children's tickets are in the wallet.
8. The doctor's passport is on the desk.
9. The doctor gives the money to a friend.
10. The house has a long, wide garden.
11. The student's flat does not have a garden.
12. What is the student reading? He is reading a volume of poems.

13. What kind of book is the engineer reading? He is reading a detective novel.
14. Is the British embassy nearby? Yes, it is over there, by the block of flats.
15. Mr Predescu's office is next to the French embassy.
16. We see Mr Predescu's car at the hotel.
17. Mrs Predescu's hat is on the seat.
18. How much does a car cost in Romania? I don't know but a Dacia (Romanian Renault) car is expensive.
19. Mr Predescu's son has a Dacia car.
20. Mr Predescu's daughter has a Ford.

C. Compare your answers with this key; then read the key aloud.

1. Unde este gara? Nu ştiu.
2. Ce spune Radu? Radu spune că hotelul este aproape.
3. Este căminul curat sau murdar? Căminul este curat dar hotelul este murdar.
4. Cînd pleacă trenul? Pleacă în zece minute.
5. Studentul merge la gară cu autobuzul.
6. Biletul studentului este valabil dar biletul diplomatului nu este.
7. Biletele copiilor sînt în portofel.
8. Paşaportul doctorului este pe birou.
9. Doctorul dă banii unui prieten.
10. Casa are o grădină lungă şi lată.
11. Apartamentul studentului nu are grădină.
12. Ce citeşte studentul? El citeşte un volum de poezii.
13. Ce fel de carte citeşte inginerul? El citeşte un roman poliţist.
14. Este aproape ambasada britanică. Da, este acolo, lîngă bloc.
15. Biroul domnului Predescu este lîngă ambasada franceză.
16. Vedem maşina domnului Predescu la hotel.
17. Pălăria doamnei Predescu este pe scaun.
18. Cît costă o maşină în România? Nu ştiu dar o maşină Dacia este scumpă.
19. Băiatul domnului Predescu are o maşină Dacia.
20. Fata domnului Predescu are o maşină Ford.

LESSON 9

1 VOCABULARY

acest, această, aceşti, aceste   dem. adj.   this
actor – actori   m.   actor
alt, altă, alţi, alte   adj.   another, other
apoi   adv.   then, subsequently
aproape de   prep.   near
apreciat, apreciată, apreciaţi, apreciate   adj.   highly regarded
bar – baruri   n.   bar
a bea   vb.   to drink
bloc – blocuri   n.   block of flats
ca   prep., conj.   than, as
cinema   n.   cinema
cinematograf – cinematografe   n.   cinema
ciocolată – ciocolate   f.   chocolate
a cumpăra   vb.   to buy
curte – curţi   f.   courtyard, yard
decît   prep., conj.   than
deja   adv.   already
după   prep.   after, behind
englezesc, englezească, englezeşti, englezeşti   adj.   English
excelent, excelentă, excelenţi, excelente   adj.   excellent
film – filme   n.   film
franţuzesc, franţuzească, franţuzeşti, franţuzeşti   adj.   French
încă   adv.   yet, still, another
lecţie – lecţii   f.   lesson
liber, liberă, liberi, libere   adj.   free, empty
a locui   vb.   to live
mai ales   adv.   especially
milă – mile   f.   mile
miliţian – miliţieni   m.   policeman
a mînca   vb.   to eat
românesc, românească, româneşti, româneşti   adj.   Romanian
rusesc, rusească, ruseşti, ruseşti   adj.   Russian
sac – saci   m.   sack
stradă – străzi   f.   street, road

talentat, talentată, talentaţi, talentate adj. talented
zi – zile f. day

Phrases

ajunge	it is enough, it is sufficient
un bilet de avion	a plane ticket
un bilet de tren	a train ticket
după-masă	in the afternoon (lit. after the meal)
mai ales că	especially as
noroc	good luck, cheers (when drinking)
se prezintă	they introduce themselves
a sta jos	to sit down

după-masă refers to the period after the principal meal of the day, which is taken between 1 p.m. and 3 p.m. This period extends from about 3 p.m. to 7 p.m. when *seară* 'evening' begins.

2 GRAMMAR

A. Agreement of Adjectives

As stated in Lesson 2, Romanian adjectives agree with the nouns that they qualify in number, gender and case. Below are examples of the principal types of adjective used in agreement with a noun:

m.

	s.	pl.
N/A	un student bun	nişte studenţi buni
G/D	unui student bun	unor studenţi buni
	s.	pl.
N/A	un pom mic	nişte pomi mici
G/D	unui pom mic	unor pomi mici
	s.	pl.
N/A	un cîine mare	nişte cîini mari
G/D	unui cîine mare	unor cîini mari

	s.	pl.
N/A	un sac greu	nişte saci grei
G/D	unui sac greu	unor saci grei

f.

	s.	pl.
N/A	o studentă bună	nişte studente bune
G/D	unei studente bune	unor studente bune

	s.	pl.
N/A	o stradă mică	nişte străzi mici
G/D	unei străzi mici	unor străzi mici

	s.	pl.
N/A	o curte mare	nişte curţi mari
G/D	unei curţi mari	unor curţi mari

	s.	pl.
N/A	o lecţie grea	nişte lecţii grele
G/D	unei lecţii grele	unor lecţii grele

n.

	s.	pl.
N/A	un manual bun	nişte manuale bune
G/D	unui manual bun	unor manuale bune

	s.	pl.
N/A	un hotel mic	nişte hoteluri mici
G/D	unui hotel mic	unor hoteluri mici

	s.	pl.
N/A	un fotoliu mare	nişte fotolii mari
G/D	unui fotoliu mare	unor fotolii mari

	s.	pl.
N/A	un exerciţiu greu	nişte exerciţii grele
G/D	unui exerciţiu greu	unor exerciţii grele

Adjectives ending in *-esc*, like *englezesc*, *franţuzesc*, and those ending in *-tor*, like *folositor*, have only three forms:

m.

	s.	pl.
N/A	rus**e**sc	rus**e**şti
G/D	rus**e**sc	rus**e**şti

f.

	s.	pl.
N/A	ruse**a**scă	rus**e**şti
G/D	rus**e**şti	rus**e**şti

n.

	s.	pl.
N/A	rus**e**sc	rus**e**şti
G/D	rus**e**sc	rus**e**şti

m.

	s.	pl.
N/A	folosit**o**r	folosit**o**ri
G/D	folosit**o**r	folosit**o**ri

f.

	s.	pl.
N/A	folosito**a**re	folosito**a**re
G/D	folosito**a**re	folosito**a**re

n.

	s.	pl.
N/A	folosit**o**r	folosito**a**re
G/D	folosit**o**r	folosito**a**re

Adjectives of the *-esc* type denoting nationality are used only with feminine and neuter nouns representing inanimate objects:

o m**a**să române**a**scă	a Romanian meal
un paşap**o**rt român**e**sc	a Romanian passport

The forms *englez*, *francez*, *român* and *rus* are normally used only with masculine nouns:

un d**o**ctor engl**e**z	an English doctor
un ingin**e**r franc**e**z	a French engineer

but note

un dicţionar englez-român	an English-Romanian dictionary
un dicţionar francez-român	a French-Romanian dictionary

B. Demonstrative Adjectives

The demonstrative adjective *acest* 'this' precedes the noun. Its forms are

m.

	s.	pl.
N/A	acest	aceşti
G/D	acestui	acestor

f.

	s.	pl.
N/A	această	aceste
G/D	acestei	acestor

n.

	s.	pl.
N/A	acest	aceste
G/D	acestui	acestor

Examples

această lecţie este grea	this lesson is difficult
aceşti oameni sînt ingineri	these people are engineers
casa acestui doctor este mare	this doctor's house is big
această îngheţată este dulce	this ice-cream is sweet
eu trimit scrisori acestor fete	I send letters to these girls

C. The Adjective *alt* 'other'

This adjective also precedes the noun: Note that its forms are similar to those of *acest*

m.

	s.	pl.
N/A	alt	alţi
G/D	altui	altor

f.

	s.	pl.
N/A	altă	alte
G/D	altei	altor

n.

	s.	pl.
N/A	alt	alte
G/D	altui	altor

Examples

un alt om vorbeşte româneşte	another man speaks Romanian
o altă fată merge la gară	another girl is going to the station
eu dau altui profesor cartea	I am giving the book to another teacher
alte doamne stau în acest hotel	other ladies are staying in this hotel
văd pălăria altei doamne	I see the hat of another lady

D. Comparative Adjectives and Adverbs

To form the comparative degree the adverb *mai* is used:

Adjectives

mai curat	cleaner
mai dulce	sweeter
mai greu	harder
mai ieftin	cheaper
mai bun	better

Examples

o milă este mai lungă decît un kilometru	a mile is longer than a kilometre
azi este o zi mai frumoasă decît ieri	today is a nicer day than yesterday

Adverbs

mai greu	with greater difficulty

mai mult	more, longer
mai bine	better
mai prost	worse

Examples

el stă mai mult în Anglia	he is staying longer in England
ei vorbesc mai prost româneşte	they speak Romanian less well

Note that in most cases the masculine form of an adjective can be used as an adverb and as such it remains invariable. Remember, however, that the adverb corresponding to *bun* is *bine*.

E. Verbs

The verb *a mînca* 'to eat' is slightly irregular. It belongs to the first conjugation and its present tense forms are

mănînc	mîncăm
mănînci	mîncaţi
mănîncă	mănîncă

a cumpăra 'to buy' is also a first conjugation verb

cumpăr	cumpărăm
cumperi	cumpăraţi
cumpără	cumpără

a locui 'to live', 'to reside' is a fourth conjugation verb

locuiesc	locuim
locuieşti	locuiţi
locuieşte	locuiesc

a bea 'to drink' is an irregular verb. Its forms are

beau	bem
bei	beţi
bea	beau

■ 3 TEXT

Nicu pleacă la cantină. Ia autobuzul 13 spre parc. Aproape de cantină vede un prieten englez George. Acest prieten este student la universitate unde învaţă limba română. Nicu ia masa cu George. După masă ei pleacă la o cofetărie unde mai iau două prăjituri, două îngheţate, şi două cafele dulci. Nicu spune că la această cofetărie prăjiturile şi cafelele sînt mai ieftine decît la restaurant, şi George spune că aceste prăjituri sînt mai bune şi mai ieftine decît în Anglia. La cofetărie vin Ana şi Radu. Radu învaţă limba franceză la universitate. Ana este şi ea studentă şi învaţă limba engleză. Ei văd o masă cu patru scaune. Două scaune sînt libere. La această masă sînt Nicu şi George. Ana şi Radu stau jos şi vorbesc despre filme englezeşti. George şi Nicu aud ce spun ei şi se prezintă. Şi Ana şi Radu se prezintă. Apoi Ana spune:

A: Noi mergem după-masă la cinema, la un film englezesc. Nu veniţi şi voi?
N: Dar ce film vedeţi?
R: Vedem Othello cu Laurence Olivier.
N: Ştiu că este un film bun. Venim şi noi.
G: Filmele englezeşti sînt apreciate în România?
N: Sînt, mai ales că actorii englezi sînt foarte buni.
G: Dar şi actorii români sînt foarte talentaţi.
N: Aşa este. Avem nişte actori excelenţi.
R: Nu beţi încă o cafea?
G: Nu, mulţumesc.
N: Nu, mulţumesc. Ajunge una.

4 EXERCISES

A. Complete the blanks

1. Camere ________ acest ________ hotel sînt mar ________.
2. Ana cumpără roman ________ poliţist ________ franţuz ________.
3. Acest ________ paşap ________ nu au vize român ________.
4. Francezii beau mult ________ cafea şi mănîncă mult ________ brînză.
5. Alt ________ prieteni st ________ în acest hotel.
6. Acest ________ îngheţate sînt dulc ________.
7. Mîncăm la restaurant o masă român ________.
8. Vedem mult ________ curţi mar ________ în Bucureşti.

9. Acest ________ copii mănîncă mult.
10. Ce be ________ Ana şi Radu?

Compare your answers with this key

1. Camerele, acestui, mari
2. romane, poliţiste, franţuzeşti
3. aceste, paşapoarte, româneşti
4. multă, multă
5. alţi, stau
6. aceste, dulci
7. românească
8. multe, mari
9. aceşti
10. beau

B. Translate

1. I have a British passport with a Romanian visa.
2. She has a French passport with a Russian visa.
3. Another lady has a plane-ticket for London.
4. This airport is very near to Bucharest.
5. We leave from the airport by car.
6. We see a policeman near the hotel.
7. This hotel has many rooms.
8. We are staying at this hotel.
9. Romanian beer is cheaper than English beer.
10. They are drinking beer in the hotel bar.
11. Other people are eating in the hotel restaurant.
12. Romanians drink a lot of wine and eat a lot of bread.
13. The English drink less wine than the French.
14. Tomorrow we'll go to the university.
15. The professor of English buys many English books.
16. They read many French novels.
17. This French-Romanian dictionary is more expensive than this text-book of English.
18. Are you giving these books to other children?
19. I am buying some coffee.
20. This coffee is better than the restaurant's coffee and it costs less.
21. I am making two cups of sweet coffee for Mr and Mrs Predescu.

22. Many people say that these lessons are difficult but that the exercises are easier.
23. They are staying longer in Romania because they speak the language well.
24. The boy sees a taxi and a bus on the main road.
25. He also sees a large dog there.

C. Compare your answers with this key; then read the key aloud.

1. Am un paşaport britanic cu o viză românească.
2. Ea are un paşaport franţuzesc cu o viză rusească.
3. O altă doamnă are un bilet de avion pentru Londra.
4. Acest aeroport este foarte aproape de Bucureşti.
5. Noi plecăm de la aeroport cu maşina.
6. Vedem un miliţian aproape de hotel.
7. Acest hotel are multe camere.
8. Noi stăm la acest hotel.
9. Berea românească este mai ieftină decît berea englezească.
10. Ei beau bere în barul hotelului.
11. Alţi oameni mănîncă în restaurantul hotelului.
12. Românii beau mult vin şi mănîncă multă pîine.
13. Englezii beau mai puţin vin decît francezii.
14. Mîine mergem la universitate.
15. Profesorul de limba engleză cumpără multe cărţi englezeşti.
16. Ei citesc multe romane franţuzeşti.
17. Acest dicţionar francez-român este mai scump decît acest manual de limba engleză.
18. Daţi aceste cărţi altor copii?
19. Eu cumpăr nişte cafea.
20. Această cafea este mai bună decît cafeaua restaurantului şi costă mai puţin.
21. Eu fac două cafele dulci pentru domnul şi doamna Predescu.
22. Mulţi oameni spun că aceste lecţii sînt grele dar că exerciţiile sînt mai uşoare.
23. Ei stau mai mult în România fiindcă vorbesc bine limba.
24. Băiatul vede un taxi şi un autobuz pe şosea.
25. Vede şi un cîine mare acolo.

LESSON 10

1 VOCABULARY

alo hello (on the telephone)
cap – capete n. head
carte poştală – cărţi poştale f. postcard
cîntar – cîntare n. pair of scales
colet – colete n. parcel
cutie – cutii f. box
cutie poştală – cutii poştale f. post box
a deschide vb. to open, to turn on (radio)
deschis, deschisă, deschişi, deschise adj. open
a dori vb. to wish, to want
ei poss. pron. her
a expedia vb. to send
formular – formulare n. form, application form
funcţionar – funcţionari m. clerk, civil servant
funcţionară – funcţionare f. clerk, civil servant
ghişeu – ghişee n. guichet, position (bank, post-office)
gol, goală, goi, goale adj. empty
greşeală – greşeli f. mistake, wrong number
iar adv. again
informaţie – informaţii f. information, directory enquiries
a intra (în) vb. to enter
a închide vb. to close
închis, închisă, închişi, închise adj. closed
a întreba vb. to ask (a question)
locuinţă – locuinţe f. household
lor poss. pron. their
lui poss. pron. his
meu, mea, mei, mele poss. adj. my
moment – momente n. moment
monedă – monede f. coin
nostru, noastră, noştri, noastre poss. adj. our
număr – numere n. number
ocupat, ocupată, ocupaţi, ocupate adj. busy, engaged
oficiu poştal – oficii poştale n. post office

pachet – pachete n. packet
peste prep. within
plin, plină, plini, pline adj. full
poştă – poşte f. post
public, publică, publici, publice adj. public
recomandat, recomandată, recomandaţi, recomandate adj. registered
său, sa, săi, sale poss. adj. his, her, their
simplu, simplă, simpli, simple adj. simple, (of letters) non-registered
soţ – soţi m. husband
soţie – soţii f. wife
a suna vb. to ring
tău, ta, tăi, tale poss. adj. your
telefon – telefoane n. telephone, telephone call
a telefona vb. to telephone
telegramă – telegrame f. telegram
timbru – timbre n. stamp
voce – voci f. voice
vostru, voastră, voştri, voastre poss. adj. your
a vrea vb. to want

Phrases

a da un telefon — to make a telephone call
a face un număr — to dial a number
a pune o scrisoare la cutie — to post a letter
mai bine trimit — it would be better if I sent
cît costă să expediez? — how much does it cost for me to send?
o carte de telefon — a telephone directory
un număr de telefon — a telephone number
de vînzare — for sale
prin avion — by air mail
scuzaţi — sorry

2 GRAMMAR

A. Possessive Adjectives

Possessive adjectives follow the noun which has the definite article suffixed. They agree with the noun in number, gender and case.

meu my

m.

	s.	pl.
N/A	meu	mei
G/D	meu	mei

f.

	s.	pl.
N/A	mea	mele
G/D	mele	mele

n.

	s.	pl.
N/A	meu	mele
G/D	meu	mele

tău 'your' is singular and corresponds to the pronoun *tu*

m.

	s.	pl.
N/A	tău	tăi
G/D	tău	tăi

f.

	s.	pl.
N/A	ta	tale
G/D	tale	tale

n.

	s.	pl.
N/A	tău	tale
G/D	tău	tale

său 'his', 'her' is used when the possessor is the same person as the subject of the statement. However, in colloquial speech it is often replaced by *lui* 'his', *ei* 'her' and *lor* 'their' which are invariable pronouns.

m.

	s.	pl.
N/A	său	săi
G/D	său	săi

f.

	s.	pl.
N/A	sa	sale
G/D	sale	sale

n.

	s.	pl.
N/A	său	sale
G/D	său	sale

lui 'his' and *ei* 'her' are pronouns. Their forms are invariable.

nostru our

m.

	s.	pl.
N/A	nostru	noştri
G/D	nostru	noştri

f.

	s.	pl.
N/A	noastră	noastre
G/D	noastre	noastre

n.

	s.	pl.
N/A	nostru	noastre
G/D	nostru	noastre

vostru 'your' is plural and corresponds to the pronoun *voi*

m.

	s.	pl.
N/A	vostru	voştri
G/D	vostru	voştri

f.

	s.	pl.
N/A	voastră	voastre
G/D	voastre	voastre

n.

	s.	pl.
N/A	vostru	voastre
G/D	vostru	voastre

dumneavoastră 'your' is a pronoun that may be singular or plural. Its form is invariable.

lor their is also invariable.

Examples

cărţile mele sînt pe masă	my books are on the table
nu am biletul tău	I do not have your ticket
copiii noştri sînt în parc	our children are in the park
maşina lor merge repede	their car goes fast
portofelul dumneavoastră nu este aici	your wallet is not here
fotoliile mele sînt vechi	my armchairs are old
ginerele lor este inginer	their son-in-law is a chartered engineer
băieţii lui sînt în Anglia	his sons are in England
paharele noastre sînt goale	our glasses are empty

Note that with parts of the body the possessive adjective is often omitted:

eu am un creion în mînă	I have a pencil in my hand
el are o pălărie pe cap	he is wearing a hat (lit. he has a hat on his head)

B. Verbs

1. The verbs *a intra* 'to enter', *a întreba* 'to ask a question', *a suna* 'to ring', *a expedia* 'to send' and *a telefona* 'to telephone' belong to the first conjugation. Their present tense forms are

intru	intr**ă**m
intri	intr**a**ţi
intră	**i**ntră

într**e**b	întreb**ă**m
într**e**bi	întreb**a**ţi
între**a**bă	între**a**bă

sun	sun**ă**m
s**u**ni	sun**a**ţi
s**u**nă	s**u**nă

expedi**e**z	expedi**e**m
expedi**e**zi	expedi**a**ţi
expedi**a**ză	expedi**a**ză

telefon**e**z	telefon**ă**m
telefon**e**zi	telefon**a**ţi
telefone**a**ză	telefone**a**ză

Remember that the final /i/ of *intri* is syllabic since it follows consonant plus *r*.

Note the form *expediem* (not *expediăm* as we would expect). This is characteristic of first conjugation infinitives ending in *-ia*. The verbs *a deschide* 'to open' and *a închide* 'to close' belong to the third conjugation. Their present tense forms are

desch**i**d	desch**i**dem
desch**i**zi	desch**i**deţi
desch**i**de	desch**i**d

înch**i**d	înch**i**dem
înch**i**zi	înch**i**deţi
înch**i**de	înch**i**d

2. *A vrea* and *a dori* both mean 'to want'. *A dori* conjugates like *a vorbi* while *a vrea* conjugates like *a bea*.

doresc	dorim
doreşti	doriţi
doreşte	doresc
vreau	vrem
vrei	vreţi
vrea	vor

Doresc is less blunt than *vreau* and is best translated by 'I would like'. Both verbs may be used either with a direct object e.g.

doresc o cafea	I would like a coffee
vreau o cafea	I want a coffee

or as an auxiliary to another verb, in which case they are followed by the conjunction *să* e.g.

vreau să trimit o scrisoare	I want to send a letter
doresc să văd oraşul	I would like to see the town

3 THE SUBJUNCTIVE

The conjunction *să* introduces what is known as the subjunctive form of the verb. In practice this form only differs from the non-subjunctive (so-called indicative) forms in the third person. Furthermore, the subjunctive forms for the third person singular and the third person plural are always identical:

el are	he has	el vrea să aibă	he wants to have
ei au	they have	ei vor să aibă	they want to have
el invită	he invites	el vrea să invite	he wants to invite
ei invită	they invite	ei vor să invite	they want to invite
el face	he makes	el vrea să facă	he wants to make
ei fac	they make	ei vor să facă	they want to make
el citeşte	he reads	el vrea să citească	he wants to read
ei citesc	they read	ei vor să citească	they want to read
el doarme	he sleeps	el vrea să doarmă	he wants to sleep
ei dorm	they sleep	ei vor să doarmă	they want to sleep
el scrie	he writes	el vrea să scrie	he wants to write
ei scriu	they write	ei vor să scrie	they want to write

el ia	he takes	el vrea să ia	he wants to take
ei iau	they take	ei vor să ia	they want to take
el lucrează	he works	el vrea să lucreze	he wants to work
ei lucrează	they work	ei vor să lucreze	they want to work

Note the form să *scrie* (not să *scriă*).

The verb *a fi* has a complete set of subjunctive forms for all persons:

vreau să fiu	I want to be	vrem să fim	we want to be
vrei să fii	you want to be	vreţi să fiţi	you want to be
vrea să fie	he, she, it wants to be	vor să fie	they want to be

C. Prepositions

The preposition *în* 'in' is used with names of localities when the speaker is in the same locality to which he is referring:

băiatul meu este în Bucureşti — my son is in Bucharest (so is the speaker)

Otherwise, *la* 'in', 'at' is used:

băiatul meu este la Bucureşti — my son is in Bucharest (the speaker is not)

With names of countries only the preposition *în* can be used to mean 'in', irrespective of the speaker's location:

ei locuiesc în Anglia — they live in England (the speaker may or may not be in England)

Note also:

el merge în România — he is going to Romania

but

el merge la Bucureşti — he is going to Bucharest

Similarly

el vine din România — he is coming from Romania
el vine de la Paris — he is coming from Paris

Do not confuse these examples with

sînt din România	I am from Romania
sînt din Paris	I am from Paris

D. Word Order

After a quote the verb of saying or replying precedes the subject. In the text we have the following examples:

Ce doriţi? întreabă vînzătoarea	'What would you like?' asks the sales assistant
Da, este, spune Nicu	'Yes, it is,' says Nick

4 CONVERSATION

La telefon

Radu: Alo, locuinţa domnului Predescu?
O voce: Nu, greşeală. Aici casa Livescu.
Radu: Scuzaţi. Nu aveţi 155321 (unu, cinci, cinci, trei, doi, unu)
O voce: Nu, aici 155322.
Radu: Scuzaţi.

După cinci minute
Radu: Alo, informaţiile?
O voce: Da, informaţiile.
Radu: Vă rog, ce număr are domnul Predescu? Locuieşte pe strada Londra, numărul 10, şi nu este în cartea de telefon.
O voce: Un moment, vă rog. Domnul Predescu are un număr nou . . . 954531.

După alte cinci minute
Radu: Alo, casa Predescu?
D-na Predescu: Da, casa Predescu. Ce doriţi?
Radu: Vă rog, domnul Predescu este acasă?
D-na Predescu: Nu, îmi pare rău. Nu este acasă.
Radu: Nu ştiţi cînd vine?

D-na Predescu: Vine peste zece minute.
Radu: Mulţumesc. Sun iar peste zece minute.

Radu sună iar peste zece minute de la un telefon public. Pune o monedă, face numărul, dar numărul domnului Predescu sună ocupat.

■ 5 TEXT

George vrea să trimită un pachet cu cărţi prietenilor lui englezi. El întreabă:

– Oficiul poştal este deschis azi?
– Da, este, spune Nicu.

George pleacă. După zece minute intră într-un oficiu poştal. Merge la ghişeu şi ia un formular.
– Ce doriţi? întreabă funcţionara.
– Cît costă să expediez acest colet în Anglia? întreabă George şi pune pachetul pe cîntar.
– Costă zece lei.
– Mulţumesc. Aveţi şi timbre şi cărţi poştale de vînzare?
– Da, avem. Timbrele sînt la ghiseul doi, lîngă uşă. Cărţile poştale sînt la ghişeul trei dar este închis acum.
– Mulţumesc. Cumpăr numai timbrele. Aici sînt banii pentru coletul meu. La revedere.

La ghişeul doi un domn trimite o telegramă băiatului lui. Apoi spune:
– Doresc să trimit şi o scrisoare recomandată. Cît costă?
– Costă opt lei.
– E prea scump, mai bine trimit scrisoarea simplă. E mai ieftin. Unde este cutia poştală?
– Acolo, aproape de telefonul public.

6 EXERCISES

A. Complete the blanks

1. Ei locuiesc ________ România şi nu ________ Anglia.
2. George merge cu trenul ________ Cluj.
3. Cînd plecăm ________ România?

4. George vrea să cit ________ puţin.
5. Noi vrem să invit ________ un prieten la masă.
6. Paharul me ________ este plin.
7. Copiii noştri sînt ________ Anglia.
8. Eu am bilete ________ lor.
9. Vrem să exped ________ două scrisori prieteni ________ noştri francezi.
10. Cînd vrei să telefon ________, pui o monedă şi fac ________ numărul.

Compare your answers with this key

1. în, în
2. la
3. în
4. citească
5. invităm
6. meu
7. în
8. biletele
9. expediem, prietenilor
10. telefonezi, faci

B. Translate the text (5).

C. Translate

Nicholas wishes to send a registered letter to his French friend. He leaves for the post office and near the station sees a friend.
– How are you? asks Nicholas.
– Very well, thank you, says the friend.
– I am going to the post office. I want to send a registered letter to France.
– I'll come too, says the friend. I want to send a parcel to the United States.
At the post office Nicholas goes to the counter and asks:
– How much does it cost to send a registered letter to France?
– It costs eight lei, says the girl counter clerk.

Nicholas gives the letter to the counter clerk. His friend goes to counter no. 2 and says:
– I want to send this parcel to the United States.
– This counter is closed today, says the counter clerk.
Nicholas and his friend go to another post office from where they send the parcel and also buy some stamps and postcards. Then they go home.

D. Compare your answers with this key; then read the key aloud.

Nicolae vrea să trimită o scrisoare recomandată prietenului lui francez. Pleacă la oficiul poştal şi lîngă gară vede un prieten.
– Ce mai faci? întreabă Nicolae.
– Foarte bine, mulţumesc, spune prietenul.
– Merg la oficiul poştal. Vreau să trimit o scrisoare recomandată în Franţa.
– Vin şi eu, spune prietenul. Vreau să trimit un pachet în Statele Unite.
La oficiul poştal Nicolae merge la ghişeu şi întreabă:
– Cît costă să trimit o scrisoare recomandată în Franţa?
– Costă opt lei, spune funcţionara.
Nicolae dă scrisoarea funcţionarei. Prietenul lui merge la ghişeul doi şi spune:
– Vreau să trimit acest pachet în Statele Unite.
– Acest ghişeu este închis azi, spune funcţionara.
Nicolae şi prietenul lui merg la un alt oficiu poştal de unde trimit pachetul şi cumpără şi nişte timbre şi cărţi poştale. Apoi pleacă acasă.

LESSON 11

1 VOCABULARY

accelerat – accelerate n. fast train
acel, acea, acei, acele dem. adj. that
acela, aceea, aceia, acelea dem. pron. that

acesta, aceasta, aceştia, acestea dem. pron. this
agenţie – agenţii f. agency
a ajunge (1a) vb. to arrive (at), to reach
bagaj – bagaje n. luggage
ban – bani m. 1/100 of a leu, money
cadou – cadouri n. gift
a călători vb. to travel
călătorie – călătorii f. journey
ceva pron. something, anything
a coborî (din) vb. to alight (from), to descend, to lower
companie – companii f. company
compartiment – compartimente n. compartment
a controla vb. to inspect
des adv. often, frequently
deseori adv. often, frequently
din prep. in, from
din nou adv. again
direct adv. directly
după aceea adv. afterwards
excursie – excursii f. excursion, trip
frontieră – frontiere f. frontier
a găsi vb. to find
geamantan – geamantane n. suitcase
graniţă – graniţe f. frontier, border
grănicer – grăniceri m. passport officer
intrare – intrări f. entrance
a lăsa vb. to leave
liber, liberă, liberi, libere adj. free
loc – locuri n. place, space, room
lucru – lucruri n. thing, object
Mihai m. Michael
pasager – pasageri m. passenger
pînă la prep. as far as
plăcere – plăceri f. pleasure
plăcut, plăcută, plăcuţi, plăcute adj. pleasant
prin prep. through
a putea vb. to be able
repede adv. quickly
rezervat, rezervată, rezervaţi, rezervate adj. reserved

a sosi vb. to arrive
a trebui vb. to have to, must
turist – turişti m. tourist
a urî vb. to hate
vacanţă – vacanţe f. holiday
vagon – vagoane n. carriage, wagon
vagon restaurant – vagoane restaurant n. restaurant car
vamă – vămi f. customs control
vameş – vameşi m. customs officer
a vizita vb. to visit
vizită – vizite f. visit

Phrases

între timp	in the mean time, meanwhile
banii mei	my money
o agenţie de voiaj	a travel agency
agenţia CFR /če-fe-re/	The Romanian State Railways Agency (Căile Ferate Române)
agenţia TAROM	The Romanian Airlines Agency (Transporturile Aeriene Române)
cu plăcere	with pleasure
o viză de intrare	an entry visa
controlul paşapoartelor	passport control
controlul bagajelor	baggage inspection
aveţi ceva de declarat?	do you have anything to declare?
Gara de Nord	North Station

2 GRAMMAR

A. The Demonstrative Adjectives and Pronouns

In Lesson 9 we introduced the demonstrative adjective *acest* 'this'. Its companion is *acel* 'that', the forms of which are

	m.	
	s.	pl.
N/A	acel	acei
G/D	acelui	acelor

f.

	s.	pl.
N/A	acea	acele
G/D	acelei	acelor

n.

	s.	pl.
N/A	acel	acele
G/D	acelui	acelor

Examples

acel student este fratele meu	that student is my brother
acea cafea e dulce	that cup of coffee is sweet
acele maşini sînt murdare	those cars are dirty
numărul acelei case este zece	the number of that house is ten
maşina acelui doctor este o Dacia	that doctor's car is a Dacia

Both *acest* and *acel* may also be placed after the noun, in which case they carry more emphasis. When following the noun, the noun takes the definite article and *acest* and *acel* end in *-a*

m.

	s.	pl.
N/A	acesta, acela	aceştia, aceia
G/D	acestuia, aceluia	acestora, acelora

f.

	s.	pl.
N/A	aceasta, aceea	acestea, acelea
G/D	acesteia, aceleia	acestora, acelora

n.

	s.	pl.
N/A	acesta, acela	acestea, acelea
G/D	acestuia, aceluia	acestora, acelora

Examples

prietenul acesta locuieşte la Londra	this friend lives in London
îngheţata aceasta este ieftină	this ice-cream is cheap
biletul fetei acesteia nu este valabil	this girl's ticket is not valid
băieţii aceştia vorbesc bine româneşte	these boys speak Romanian well
mesele acestea sînt murdare	these tables are dirty
studentul acela este fratele meu	that student is my brother
cafeaua aceea e dulce	that cup of coffee is sweet
maşinile acelea sînt noi	those cars are new
oamenii aceia beau bere	those people are drinking beer

The forms ending in *-a* are also used as pronouns. They agree in number and gender with the nouns that they qualify:

acesta este un doctor bun	this man is a good doctor
aceasta este casa mea	this is my house
acesta este portofelul meu	this is my wallet
aceştia sînt banii mei	this is my money
acestea sînt geamantanele lui	these are his suitcases
acela este ginerele meu	that is my son-in-law
aceea este maşina lor	that is their car
acela este paharul ei	that is her glass
acelea sînt paşapoartele noastre	those are our passports

In colloquial speech, however, the following reduced forms of *acesta* and *acela* are generally used in the N/A case:

	m.	
	s.	pl.
N/A	**ăsta, ăla**	**ăştia, ăia**

	f.	
	s.	pl.
N/A	**asta, aia**	**astea, alea**

	n.	
	s.	pl.
N/A	ăsta, ăla	astea, alea

Examples

băiatul ăsta citeşte mult dar băieţii ăia nu citesc nimic	this boy reads a lot but those boys don't read anything
fata asta merge cu maşina dar fetele alea merg cu trenul	this girl is going by car but those girls are going by train

The feminine forms *a(cea)sta*, *a(ce)stea* are also used where the gender is unknown. In such cases these forms correspond to 'this', 'that', 'these' and 'those'

cît costă asta?	how much does this/that cost?
ce fac ei cu astea?	what are they doing with those?

B. Verbs

1. There exist in Romanian a small number of verbs with infinitives ending in *-î*. Verbs of this type conjugate according to one of two patterns:

a coborî   to descend   to lower

cobor	coborîm
cobori	coborîţi
coboară	coboară

a urî   to hate

urăsc	urîm
urăşti	urîţi
urăşte	urăsc

2. The verbs *a controla* 'to inspect' and *a vizita* 'to visit' conjugate in the present tense like *a lucra* e.g. *vizitez* 'I visit'.

The verb *a ajunge* 'to reach' conjugates like *a face* e.g. *ajung* 'I reach'.

The verbs *a călători* 'to travel', *a găsi* 'to find', and *a sosi* 'to arrive' conjugate like *a vorbi* e.g. *sosesc* 'I arrive'.

There is a difference between *a ajunge* and *a sosi* which is best illustrated in terms of the relationship between *a sosi* and *aici* 'here' on the one hand, and *a ajunge* and *acolo* 'there' on the other. Thus if the speaker was in London, he would use the verb *a sosi* to refer to an arrival in London and *a ajunge* to an arrival elsewhere.

3. The Compound Perfect. This tense is formed by combining contracted forms of *a avea* 'to have' with the past participle of the verb required. Thus the compound perfect of *a vedea* 'to see' conjugates thus

(eu) am văz**ut**	I have seen, I saw
(tu) ai văz**ut**	you have seen, you saw
(el, ea) a văz**ut**	he, she, it has seen, he, she, it saw
(noi) am văz**ut**	we have seen, we saw
(voi) aţi văz**ut**	you have seen, you saw
(ei, ele) au văz**ut**	they have seen, they saw

Note that *au văzut* may be translated as 'they have seen', 'they have been seeing', or 'they saw'.

The past participle is formed by adding *-t* to infinitives ending in *-a*, *-i*, and *-î*. The infinitival ending *-ea* is replaced by *-ut* as is, in some cases, the infinitival ending in *-e*. Other infinitives in *-e* replace a final consonant plus *-e* by *-s*.

Examples

a da	am dat	I gave
a invit**a**	ai invit**at**	you invited
a ave**a**	a av**ut**	he, she, it had
a vrea	a vrut	he, she, it wanted
a m**e**rge	am mers	we went
a scr**ie**	aţi scris	you wrote
a sp**u**ne	au spus	they said
a locu**i**	ai locuit	you lived
a ven**i**	au venit	they came

Some verbs change their root

a be**a**	am bă**ut**	we drank
a f**a**ce	au făc**ut**	they made

The most common irregular verbs are

a fi	au fost	they were, they have been
a şti	au ştiut	they knew

Certain pronouns or particles may be linked to the contracted forms of *a avea* by a hyphen in writing:

ce-am fă**cut**?	what have I done?
ce-ai fă**cut**?	what did you do?
ce-a fă**cut**?	what did he do?
ce-am fă**cut**?	what have we done?
ce-aţi fă**cut**?	what did you do?
ce-au fă**cut**?	what did they do?

The negative particle *nu* is often reduced before the contracted forms of *a avea*

n-am fă**cut**	I didn't do
n-ai fă**cut**	you didn't do
n-a fă**cut**	he, she, it didn't do
n-am fă**cut**	we didn't do
n-aţi fă**cut**	you didn't do
n-au fă**cut**	they didn't do

4. The Auxiliary Verb *a putea* 'to be able'. This verb conjugates as follows:

pot	put**e**m
poţi	put**e**ţi
po**a**te	pot

It may be followed *either* by an infinitive without *a*

ei pot plec**a**	they can leave

or by a clause introduced by *să*

ei pot să pl**e**ce

5. The Auxiliary Verb *a trebui* 'to have to'. This verb is invariable in the present tense and is followed by a clause introduced by *să*:

(eu) tr**e**buie să telefon**e**z	I must telephone
(tu) tr**e**buie să telefon**e**zi	you must telephone
(el, ea) tr**e**buie să telefon**e**ze	he, she must telephone
(noi) tr**e**buie să telefon**ă**m	we must telephone

(voi) trebuie să telefonaţi	you must telephone
(ei, ele) trebuie să telefoneze	they must telephone

Note also

a trebuit să plec	I had to leave
a trebuit să plecăm	we had to leave
a trebuit să plece	he, she had to leave

but

au trebuit să plece	they had to leave

C. Sequence of Tenses

The original tense of a statement or question is preserved when the statement or question is reported:

cît costă un bilet pînă la Cluj?	how much is a ticket to Cluj?
au întrebat cît costă un bilet pînă la Cluj	they asked how much a ticket to Cluj cost
avem o viză	we have a visa
am spus că avem o viză	we said that we had a visa

■ 3 CONVERSATION

La aeroport

Avionul companiei TAROM a sosit pe aeroportul Otopeni. Pasagerii au intrat în vamă.

Grănicerul:	Trebuie să văd paşaportul dvs.
Turistul:	Cu plăcere.
G:	Aveţi deja viza de intrare în România?
T:	Da, am luat viza ieri la ambasada română din Londra.
G:	Foarte bine. Turiştii pot lua viza şi la graniţă. Acum puteţi merge la controlul bagajelor.
Vameşul:	Bagajul dvs. este acesta sau acela?
T:	Acesta.
V:	Aveţi ceva de declarat?
T:	Am numai nişte cadouri pentru prietenii mei.

V: Vreţi să deschideţi geamantanul?
T: Cu plăcere.
V: Mulţumesc. Acum puteţi închide geamantanul. Vacanţa plăcută în România.

4 TEXT

George şi Nicu au mers la agenţia CFR. Au vrut să cumpere bilete pentru o excursie prin ţară. La un ghişeu au întrebat cît costă un bilet de tren pînă la Cluj. Au cumpărat două bilete cu locuri rezervate pentru acceleratul de Cluj şi apoi au trebuit să plece cu bagajele spre gară. În gară au întrebat la Informaţii de unde pleacă trenul lor. Într-un vagon au găsit un compartiment gol cu două locuri libere. Peste zece minute a intrat în compartiment o doamnă cu un copil.

– Aceste două locuri sînt locurile noastre, a spus doamna.
Ce locuri aveţi dvs.?

Nicu a văzut pe biletele lor că ei au locurile în alt vagon. A luat geamantanele şi a plecat prin tren cu George la vagonul lor. Între timp trenul a plecat. Au lăsat geamantanele în compartimentul lor şi au plecat din nou, la vagonul restaurant. Acolo au putut lua masa, şi după aceea au băut şi o cafea.

5 EXERCISES

A Complete the blanks

1. George merge la un oficiu poştal să telefon ________.
2. Ce-au făc ________ cu geamantan ________ noastre?
3. Dvs. puteţi plec ________ cînd vreţi.
4. Cînd a ven ________ Nicu acasă?
5. Grănicerul trebui ________ să control ________ paşapoartele.
6. George şi Nicu au întrebat la gară cînd pleacă tren ________ lor.
7. Locurile acest ________ nu sînt liber ________, a spus domnul.
8. Cine a vrut să cump ________ un bilet de avion?
9. Turiştii au des ________ bagajele lor.
10. Mihai a găs ________ un loc în tren şi a put ________ să scrie o carte poştală.

Compare your answers with this key

1. telefoneze
2. făcut,
3. pleca
4. venit
5. trebuie, controleze
6. trenul
7. acestea, libere
8. cumpere
9. deschis
10. găsit, putut

B. Translate the text (4)

C. Translate

Michael and Nicholas arrived by air at Otopeni airport. They entered the customs and gave their passports to the passport officer. Then they went with their luggage to the customs officer. They opened their suitcases, the customs officer inspected their things, and they left. They found an empty taxi and went straight to the Gara de Nord. There they enquired at the information office how much a ticket to Cluj cost and they bought two tickets for the fast train to Cluj. Then they took their luggage and went to the train. They found the compartment with their seats, left their luggage there, and went to the restaurant car where they drank two glasses of beer.

D. Compare your answers with this key; then read the key aloud.

Mihai şi Nicolae au sosit cu avionul la aeroportul Otopeni. Au intrat în vamă şi au dat paşapoartele grănicerului. Apoi au mers cu bagajele la vameş. Au deschis geamantanele, vameşul a controlat lucrurile lor, şi au plecat. Au găsit un taxi liber şi au mers direct la Gara de Nord. Acolo au întrebat la biroul de informaţii cît costă un bilet pînă la Cluj, şi au cumpărat două bilete pentru acceleratul de Cluj. După aceea au luat bagajele lor şi au mers la tren. Au găsit compartimentul cu locurile lor, au lăsat acolo bagajele, şi au mers la vagonul restaurant unde au băut două pahare cu bere.

LESSON 12

1 VOCABULARY

Henceforth the forms of verbs introduced in the vocabulary should be consulted in the Appendix or in the Romanian–English vocabulary.

a aştepta vb. to wait
baie – băi f. bathroom
a bate vb. to knock, to beat
bibliotecă – biblioteci f. library
ca să conj. so as to, in order to
ceas – ceasuri n. watch, clock, hour
circulaţie – circulaţii f. traffic
cîţiva /kîtsva/ m., cîteva f./n. ind. adj. and pron. some, several
a continua (să) vb. to continue (to)
a crede vb. to think, to believe
cum adv. how
curs – cursuri n. lesson, course
destul, destulă, destui, destule adj. and pron. enough
deşi /deshi/ conj. although
deşteptător – deşteptătoare n. alarm-clock
devreme adv. early
dimineaţă – dimineţi f. morning
dormitor – dormitoare n. bedroom
a duce vb. to carry, to take
a se duce vb. to go
duş – duşuri n. shower
examen – examene n. examination
facultate – facultăţi f. faculty
faţă – feţe f. face
fără prep. without
fix adv. exactly (of time)
frate – fraţi m. brother
gata inv. adj. ready, finished
a se grăbi vb. to hurry
a se îmbrăca vb. to get dressed
a începe (să) vb. to begin (to)

a încerca (să) vb. to try (to)
a îndrăzni (să) vb. to dare (to)
a se întreba vb. to wonder
jumătate – jumătăţi f. half
lună – luni f. month, moon
matematică – matematici f. mathematics
noapte – nopţi f. night
oraş – oraşe n. town, city
oră – ore f. hour, class
pentru că conj. because
a se pieptăna vb. to comb one's hair
prea adv. too, (with nu) very
a se rade vb. to have a shave
a răspunde vb. to reply
a se scula vb. to get up
seară – seri f. evening
sfert – sferturi n. quarter
a spăla vb. to wash
a se spăla vb. to have a wash
a termina vb. to finish
tîrziu adv. late
a se trezi vb. to wake up
a se uita (la) vb. to look (at)

Phrases

cît e ora, vă rog?	what is the time, please
cît e ceasul, vă rog?	what is the time, please?
acum o oră	an hour ago
seara	in the evening
ziua	during the day
noaptea	at night, during the night
după amiază	in the afternoon
dimineaţa	in the morning
a avea timp (să)	to have time (to)
la timp	on time
poate	perhaps
nu mîncăm prea mult	we do not eat very much
a face un duş	to take a shower

a se spăla pe faţă	to wash one's face
a se spăla pe dinţi	to clean one's teeth

2. GRAMMAR

A. Personal Pronouns

We have already met a number of personal pronouns such as eu 'I', noi 'we' etc. When used as the direct object of the verb (i.e. in the accusative case) the personal pronouns have two sets of forms, unstressed and stressed. In this lesson we shall introduce the more common of the two, *the unstressed forms*:

Subject	Direct Object
eu	mă 'me'
tu, d-ta	te 'you'
el	îl 'him', 'it'
ea	o 'her', 'it'
noi	ne 'us'
voi, dvs.	vă 'you'
ei	îi 'them' (m.)
ele	le 'them' (f.)

Examples

ei o văd la gară	they see her at the station
îl invit la masă	I invite him to a meal
nu cumpărăm cărţile la Bucureşti, le cumpărăm la Londra	we won't buy the books in Bucharest, we'll buy them in London (le refers to cărţi)
el îi urăşte	he hates them
el ne ia cu maşina	he is taking us by car

Not that these direct-object pronouns precede the verb. With the compound perfect, however, the pronoun *o* follows the past participle:

el a văzut-o la gară	he saw her at the station
ei au invitat-o la masă	they invited her to a meal

The other pronouns precede the compound perfect but some are reduced in the following way:

mă becomes m-	vă becomes v-
te becomes te-	îi becomes i-
îl becomes l-	le becomes le-
ne becomes ne-	

Examples

el m-a lu**a**t cu maş**i**na	he took me by car
ea l-a trim**i**s ac**a**să	she sent him home
ei ne-au văz**u**t la restaur**a**nt	they saw us at the restaurant

When following the conjunction *să* the reduced forms *-l* and *-i* of *îl* and *îi* respectively are used:

	tr**e**buie să-i invit**ă**m la m**a**să	we must invite them to a meal
	ea vrea să-l v**a**dă	she wants to see him
cf.	ea vrea să mă v**a**dă	she wants to see me
	ea vrea să te v**a**dă	she wants to see you
	ea vrea s-o v**a**dă	she wants to see her
	ea vrea să ne v**a**dă	she wants to see us
	ea vrea să vă v**a**dă	she wants to see you
	ea vrea să le v**a**dă	she wants to see them (f.)

Note that *să* followed by *o* becomes *s-o*.

The unstressed direct-object pronouns are also used if, for reasons of emphasis, the noun-object precedes the verb:

	bil**e**tele le-ai văz**u**t?	as for the tickets, have you seen them?
cf.	ai văz**u**t bil**e**tele?	have you seen the tickets?
	b**a**nii i-am trim**i**s	as for the money, I have sent it
cf.	am trim**i**s b**a**nii	I have sent the money

Note the following examples with the interrogative *unde*:

unde-o trim**i**ţi?	where are you sending her?
unde ai trim**i**s-o?	where did you send her?
unde-i pui?	where are you putting them?
unde i-ai pus?	where did you put them?

In the example

unde-i pui

the group *unde-i* is pronounced as two syllables /**u**ndei/.

Do not confuse the reduced negative *n-* 'not' with *ne* 'us':

n-au lu**a**t tr**e**nul	they didn't catch the train
ne-au lu**a**t ac**a**să	they took us home
nu ne-au văz**u**t ac**o**lo	they did not see us there

B. Reflexive Pronouns

The unstressed direct-object pronouns can also be used with reflexive meaning. In Lesson 7 we introduced the reflexive forms *mă numesc* 'my name is' (lit. 'I call myself'), *te numeşti* 'your name is' (lit. 'you call yourself'). In the third person, however, there is a special reflexive pronoun, *se*, which represents all genders and means 'himself', 'herself', 'itself' and 'themselves'. It is this form that appears in the infinitives of all reflexive verbs e.g. *a se numi* 'to be named' (lit. 'to call oneself'). Many of these Romanian reflexive verbs are without reflexive equivalents in English e.g. *a se întreba* 'to wonder', *a se duce* 'to go'. Below are examples of present and compound perfect forms of some reflexive verbs:

a se întreb**a** to wonder

mă într**e**b	ne întreb**ă**m
te într**e**bi	vă întreb**a**ţi
se între**a**bă	se între**a**bă
m-am întreb**a**t	ne-am întreb**a**t
te-ai întreb**a**t	v-aţi întreb**a**t
s-a întreb**a**t	s-au întreb**a**t

a se duce to go

mă duc	ne d**u**cem
te duci	vă d**u**ceţi
se d**u**ce	se duc
m-am dus	ne-am dus
te-ai dus	v-aţi dus
s-a dus	s-au dus

a se grăb**i** to hurry

mă grăb**e**sc	ne grăb**i**m
te grăb**e**şti	vă grăb**i**ţi

se grăb**e**şte	se grăb**e**sc
m-am grăb**i**t	ne-am grăb**i**t
te-ai grăb**i**t	v-aţi grăb**i**t
s-a grăb**i**t	s-au grăb**i**t

Examples

mă într**e**b ce f**a**ce el	I wonder what he is doing
s-au dus ac**a**să	they went home
ne grăb**i**m să aj**u**ngem la aerop**o**rt	we are in a hurry to get to the airport

When used with the auxiliary verb *a putea* 'to be able' (see Lesson 11B 4) the reflexive pronoun precedes the verb if an infinitive construction is chosen:

mă pot d**u**ce	I can go
m-am put**u**t d**u**ce	I was able to go
cf. pot să mă duc	I can go
am put**u**t să mă duc	I was able to go

C. Proper names in the Genitive/Dative Case

Such names in the Genitive/Dative case are preceded by *lui*:

dăm un cad**o**u lui R**a**du	we are giving a present to Radu
geamant**a**nul lui Vas**i**le **e**ste greu	Basil's case is heavy.

Feminine names in *-a*, however, may either be preceded by *lui* or take the Genitive/Dative ending in *-ei*:

paşap**o**rtul **A**nei **e**ste la hot**e**l	Ann's passport is at the hotel
tr**e**nul lui **A**na a sos**i**t	Ann's train has arrived

The genitive of numbers above 'one' is expressed by preceding them by *a*:

au văz**u**t maş**i**nile a trei diplom**a**ţi la ambas**a**dă	they saw three diplomats' cars at the embassy
cf. au văz**u**t maşina **u**nui diplom**a**t la ambas**a**dă	they saw one/a diplomat's car at the embassy

The dative of numbers above 'one' is expressed by preceding them by la:

noi am dat cărţi la patru studenţi	we gave books to four students

D. Să Clauses

Many Romanian verbs are followed by *să* plus the subjunctive wheı they introduce a subordinate clause. Two such verbs, *a trebui* and *a putea* were mentioned in the previous lesson; others are *a încerca* 'to try', *a continua* 'to continue', *a începe* 'to begin' and *a îndrăzni* 'to dare'.

Examples

încercăm să cumpărăm un apartament	we are trying to buy a flat
el continuă să înveţe limba română	he is continuing to learn Romanian
ei au început să mănînce	they began to eat

Independent clauses introduced by *să* are often used with the force of mild imperatives (note the position of the personal pronoun):

să scrie ei	let them write
să facă el asta	let him do that
să mergem noi acolo	let us go there
să încercăm să ajungem la Bucureşti	let us try to reach Bucharest

The conjunction *ca să* introduces a clause expressing purpose:

Radu s-a dus la Londra ca să vadă un prieten	Radu went to London to see a friend

Note also:

vă rog să începeţi	please begin

E. The Time

Time is expressed very simply in Romanian. Such complete forms as

este ora trei şi douăzeci de minute	it is twenty minutes past three

este ora patru	it is four o'clock

are usually reduced to

e trei şi douăzeci
e patru

Examples

e şase	it's six o'clock
e şase şi cinci	it's five minutes past six
e şase şi un sfert	it's a quarter past six
e şase şi jumătate	it's half past six
e şapte fără douăzeci	It's twenty to seven (lit. it is seven without twenty)
e şapte fără un sfert	it's a quarter to seven

The example

e şase şi jumătate

is normally reduced in conversation to

e şase jumate

Note that *unu* is 'one', *două* 'two', and *douăsprezece* 'twelve':

e unu şi zece	it's ten past one
e două fix	it's exactly two o'clock
e douăsprezece noaptea	it's twelve o'clock at night
la unu	at one o'clock
pînă la unu	by one o'clock
pe la unu	about one o'clock

3 O CONVERSAŢIE ÎNTRE ANA ŞI MIHAI

A: Trebuie să ne grăbim să ajungem la facultate, Mihai. E deja opt jumate şi la nouă încep cursurile.

M: Să nu ajungem nici prea devreme.

A: La ora asta autobuzele sînt foarte pline şi circulaţia este foarte grea. Să încercăm să ajungem la timp.

M: Să încercăm. După curs vreau să mă duc la bibliotecă să citesc puţin. N-am fost de mult.

A: Vin şi eu. Nici eu n-am fost de multă vreme. Şi după aceea ne ducem la cantină.

M: Crezi că ajungem la cantină pînă la unu? La ora aia vine şi Radu şi vreau să-l văd. Vreau să-l întreb ce a făcut la examene.
A: Cred că ajungem dar cine ştie? Poate nici Radu nu vine la unu fix.
M: Trebuie să vină pentru că m-a rugat să-l aştept la ora aia.

4 TEXT

Este ora şapte dimineaţa. Sună deşteptătorul în dormitorul lui Mihai, fratele Anei. Mihai se trezeşte, se uită la ceas, şi se scoală. Se duce la baie, face un duş, se rade, se spală pe dinţi, se piaptănă, şi apoi se îmbracă. La şapte şi jumătate sună ceasul în camera Anei. Se scoală şi ea şi intră în baie. După cîteva minute Mihai bate la uşa băii şi o întreabă:
– Ai terminat în baie?
– Sînt gata, răspunde Ana.
– Bine, să mîncăm ceva şi apoi să plecăm la universitate. Azi am şi eu două ore de limba engleză.

Mihai învaţă limba engleză numai de cîteva luni. Deşi este student la facultatea de matematică, învaţă limba engleză pentru că vrea să viziteze Anglia. A început deja să vorbească bine englezeşte. Mihai pune cărţile lor pe masă ca să nu le uite. Ana face cafelele şi pune pe masă pîine şi unt. Ei nu mănîncă mult dimineaţa pentru că nu au destul timp.
– Ştii unde este portofelul meu? L-ai văzut? întreabă Mihai.
– Da, l-am pus pe biroul tău, răspunde Ana.
– Bine, mulţumesc. Să plecăm acum.

5 EXERCISES

A. Supply the required unstressed direct-object forms of the personal pronouns given in parentheses

1. Nu găsesc pantofii mei, Unde (ei)-ai pus?
2. Nu luăm cărţile, (ele) lăsăm aici.
3. (Eu)-a văzut la cofetărie.
4. Nu (noi)-au văzut la aeroport.
5. Nicu (ea) a invitat la masă.
6. Unde (ele)-aţi găsit?

7. Ana vrea să-(ei) ia.
8. Ei nu pot să (ele) lase.
9. George (el)-a întrebat cît e ceasul.
10. (Dvs.)-a aşteptat o oră la cinema.

Compare your answers with this key

1. i-ai pus
2. le
3. m-a văzut
4. ne-au văzut
5. a invitat-o
6. le-aţi găsit
7. să-i ia
8. să le lase
9. l-a întrebat
10. v-a aşteptat

B. Complete the reflexive forms of the verb:

1. ________ întreb unde e Nicu.
2. Trebuie să ________ ducem la cantină fiindcă ne aşteaptă Vasile.
3. Ei ________ au grăbit ca să ajungă la timp.
4. Mihai ________ trezeşte, ________ uită la ceas şi ________ scoală.
5. Eu nu ________ am ras azi.
6. Vă rog, cum ________ numiţi?
7. Ano, de ce nu ________ scoli mai devreme?
8. Nu putem să ________ ducem la Bucureşti fiindcă nu avem timp.
9. Nu ________ putem duce la Bucureşti fiindcă nu avem timp.
10. De ce nu ________ speli pe dinţi?

Compare your answers with this key

1. mă
2. ne
3. s-au
4. se, se, se
5. m-am

6. vă
7. te
8. ne
9. ne
10. te

C. Translate the text (4)

D. Translate

It is half-past six in the morning. The alarm-clock rings in Ann's bedroom but she carries on sleeping. Michael hears the alarm-clock and gets up. He goes to the bathroom, takes a shower, has a shave, and then gets dressed. At five to seven Michael knocks at the door of Ann's room but Ann does not reply. Michael waits a few minutes and then knocks again. Ann wakes up, goes to the door and opens it.

– It's late, Ann. We have to hurry. I've finished in the bathroom.
– I know, Michael. I'm sorry. I'll wash now.

Ann washes her face, brushes her teeth, combs her hair, and then gets dressed. In the meantime, Michael has made the coffee and put some rolls and butter on the table. They do not have time to eat very much and Michael eats only two rolls with butter.

– What time does our lesson start? asks Ann.
– At a quarter-past eight. We've got time to get to the university. We'll catch a bus at a quarter to eight from here, replies Michael.

E. Compare your answers with this key; then read the key aloud.

Este şase şi jumătate dimineaţa. Deşteptătorul sună în dormitorul Anei dar ea continuă să doarmă. Mihai aude deşteptătorul şi se scoală. Se duce la baie, face un duş, se rade, şi apoi se îmbracă. La şapte fără cinci Mihai bate la uşa camerei lui Ana dar Ana nu răspunde. Mihai aşteaptă cîteva minute şi apoi bate din nou. Ana se trezeşte, se duce la uşă şi o deschide.

– E tîrziu, Ano. Trebuie să ne grăbim. Am terminat în baie.
– Ştiu, Mihai. Îmi pare rău. Mă spăl acum.

Ana se spală pe faţă, pe dinţi, se piaptănă, şi apoi se îmbracă. Între timp Mihai a făcut cafeaua şi a pus nişte chifle şi unt pe masă.

Ei nu au timp să mănînce prea mult şi Mihai mănîncă numai două chifle cu unt.
– La ce oră începe cursul nostru? întreabă Ana.
– La opt şi un sfert. Avem timp să ajungem la universitate. Luăm un autobuz de aici la opt fără un sfert, răspunde Mihai.

LESSON 13

1 VOCABULARY

Henceforth the stress of words in the text and conversation will not be given

accident – accidente n. accident
a aduce vb. to bring
a ajuta vb. to help
aliment – alimente n. food
alimentară – alimentare f. grocer's
amiază – amiezi f. noon
apă minerală – ape minerale f. mineral water
a asculta vb. to listen to
autoservire – autoserviri f. self-service (shop)
borcan – borcane n. jar
buletin – buletine (de ştiri) n. news bulletin
burete – bureţi m. sponge
casă – case f. cash desk, checkout
a cădea vb. to fall
colţ – colţuri n. corner
coş – coşuri n. basket, wastepaper bin
cumpărătură – cumpărături f. purchase, shopping
dacă conj. if, whether
delicatesă – delicatese f. delicatessen
demnitate – demnităţi f. dignity
a deprima vb. to depress
a se descurca vb. to manage
dintre prep. between

dolar – dolari m. dollar
după-amiază – după-amiezi f. afternoon
friptură – fripturi f. roast meat
gem – gemuri n. jam
a se hotărî vb. to decide
înainte adv. beforehand
înainte de prep. adv. before
a încălzi vb. to warm
a întrista vb. to sadden
kilogram – kilograme n. kilogram
lapte m. milk
linişte f. quiet
liră sterlină – lire sterline f. pound sterling
lume f. people, world
mie – mii f. thousand
milion – milioane n. million
ministru – miniştri m. minister
obicei – obiceiuri n. custom, habit
orez n. rice
papuc – papuci m. slipper
a plăti vb. to pay
a se plimba vb. to go for a walk
porc – porci m. pig, pork
radio – radiouri n. radio
război – războaie n. war
regularitate – regularităţi f. regularity
reşou – reşouri n. electric ring
rînd – rînduri n. row, order, line (of writing)
a se simţi vb. to feel
soldat – soldaţi m. soldier
a striga vb. to call out to
sută – sute f. hundred
ştire – ştiri f. a news item
şuncă – şunci f. ham
tot, toată, toţi, toate adj. all
ulei n. oil
ulei de floarea soarelui n. sun-flower oil
untdelemn n. edible oil, olive oil
uşă – uşi f. door

veste – veşti f. piece of news
virgulă – virgule f. comma
vînzătoare – vînzătoare f. sales-assistant
zahăr n. sugar
zahăr tos n. castor sugar

Phrases

toată lumea	everyone
bine că	it's a good thing that
azi dimineaţă	this morning
de obicei	usually
ce zici de asta	what have you got to say about that
pe rînd	in turn
a face coadă	to queue up
bravo	well done, good
o pungă de plastic	a plastic bag
în total	in toto, altogether

2 GRAMMAR

A. Personal Pronouns: Stressed Accusative Forms

Corresponding to the unstressed forms of the personal pronouns when used as the direct object of the verb are a series of stressed, or emphatic, forms. Here, for comparison, are two sets of forms; note that the stressed forms are preceded by *pe*.

Subject	Direct object unstressed	Direct object stressed	
(eu)	mă	pe mine	'me'
(tu)	te	pe tine	'you'
(d-ta)	te	pe d-ta	'you'
(el)	îl	pe el	'him'
(ea)	o	pe ea	'her'
(noi)	ne	pe noi	'us'
(voi)	vă	pe voi	'you'
(dvs.)	vă	pe dvs.	'you'
(ei)	îi	pe ei	'them'

(ele)	le	pe ele	'them'
	se	pe sine	'himself' 'herself'

The stressed forms are used for emphasis and are never substituted for the unstressed forms. They are always used in conjunction with their unstressed counterparts.

Examples

ea mă invită pe mine	she is inviting *me*
eu i-am trimis pe ei la hotel	I sent *them* to the hotel
ei ne-au văzut pe noi la Londra	they saw *us* in London
noi vă luăm pe dvs. cu maşina	we are taking *you* by car

The stressed form may precede the verb; in this case even more emphasis is given to the direct object

pe tine te-am întrebat	it was you that I asked
pe ea o lăsăm acasă	it is her that we are leaving at home

The stressed reflexive pronoun *pe sine* is rarely used. If required for emphasis, it is often replaced by *pe el*, *pe ea*, *pe ei*, *pe ele*:

n-a îmbrăcat-o pe ea, s-a îmbrăcat pe el	he didn't dress her, he dressed himself

The stressed forms without *pe* are used following prepositions:

el vine cu mine	he is coming with me
noi am cumpărat-o pentru tine	we bought it for you
el a luat paşaportul şi a pus în el o viză	he took the passport and put a visa in it
eu m-am dus la ei acasă	I went to their home (lit. I went to them at home)
Ana vorbeşte englezeşte mai bine ca mine	Ann speaks English better than I do
ei vizitează Anglia mai des decît noi	They visit England more often than we do

B. Uses of *pe*

Pe also precedes direct-object nouns denoting a person. With such nouns, however, the verb is generally preceded by the *unstressed* forms of the accusative pronouns:

îl întreb pe Vasile	I'll ask Basil
o întreb pe Ana	I'll ask Ann
îi întreb pe Ana şi Vasile	I'll ask Ann and Basil
l-am văzut pe domnul Predescu	I saw Mr Predescu
le-ai invitat pe doamna şi domnişoara Predescu?	Did you invite Mrs and Miss Predescu?
pe inginerul Popescu l-am găsit	as for the chartered engineer Predescu, I found him

Pe acts like a preposition before direct-object nouns. Remember, therefore, that when an unqualified noun follows *pe*, the definite article is omitted in cases where English has the definite article:

la vamă i-au controlat pe turişti	they checked the tourists at the customs
profesorul i-a văzut pe studenţi la cofetărie	the teacher saw the students at the coffee shop

When the noun is qualified, however, the definite article is used:

eu am văzut-o pe fata aia	I have seen that girl
l-au crezut pe băiatul ăla	they believed that boy

C. Verbs: The Passive Voice

The passive voice is formed in Romanian by using the appropriate tense of *a fi* 'to be' with the past participle of the requisite verb. Used in this way, the past participle acts like an adjective, its four forms agreeing with the number and gender of the subject:

ei sînt invitaţi deseori la masă	they are often invited to a meal
bagajele au fost controlate	the luggage has been inspected
Ana a fost întrebată cine pleacă la Cluj	Ann was asked who was leaving for Cluj

acest roman este scris în englezeşte	this novel is written in English

The agent of a passive construction is introduced by *de*

geamantanul meu a fost controlat de un vameş	my suitcase was inspected by a customs officer
pachetul a fost trimis de el	the parcel was sent by him

Note that *de* acts likes a preposition and therefore the following noun, if unqualified, does not have the definite article:

doamnele au fost vizitate de ministru	the ladies were visited by the minister

D. Prepositions

1. We have already seen that in some cases following *cu* 'with', the noun may have the definite article, even though it is unqualified e.g.

cu avionul	by plane

cu is also followed by a noun with the definite article when it denotes accompaniment or the agent of an action:

l-am bătut cu papucul	I beat him with the slipper
m-am dus cu studenţii	I went with the students
el s-a spălat pe faţă cu buretele	he washed his face with the sponge

In other cases, including those where *cu* forms part of an adverbial phrase, the noun does not take the definite article:

ministrul a vorbit cu demnitate	the minister spoke with dignity
ei ne vizitează cu regularitate	they visit us regularly
eu iau o cafea cu lapte	I'll have a white coffee

2. The preposition *de* is used with other prepositions where in English there is an implicit relative clause:

cafeaua de pe masă este rece	the coffee (which is) on the table is cold

cf.	cafeaua este pe masă	the coffee is on the table
	maşina de pe stradă este străină	the car (which is) in the street is foreign
cf.	maşina este pe stradă	the car is in the street

When de combines with

în	it becomes	din
între	it becomes	dintre
la	it becomes	de la
lîngă	it becomes	de lîngă
sub	it becomes	de sub

	magazinul din colţ este închis	the shop (which is) on the corner is closed
cf.	magazinul este în colţ	the shop is on the corner

Note that din becomes dintr- before the indefinite article:

	sînt din acest oraş	I am from this town
but	sînt dintr-un oraş	I am from a town

Other examples

	şoseaua dintre Bucureşti şi Cluj este bună	the main road (which is) between Bucharest and Cluj is a good one
cf.	este o şosea bună între Bucureşti şi Cluj	there is a good main road between Bucharest and Cluj

de may also be used in an action involving motion:

am luat paharul de pe masă	I took the glass off (lit. from on) the table
a adus apă minerală de la alimentară	he brought mineral water from the grocer's
au căzut din maşină	they fell out (lit. from in) of the car

E. *Tot:* The Adjective and Pronoun

The adjective *tot* 'every' declines as follows

	m.	
	s.	pl.
N/A	tot	toţi

	f.	
	s.	pl.
N/A	toată	toate

	n.	
	s.	pl.
N/A	tot	toate

In the Genitive/Dative *tot* declines only in the plural where it has a common form for all three genders: *tuturor*

tot usually precedes the noun which takes the definite article:

toţi românii beau vin	all Romanians drink wine
toată lumea ştie	everyone knows (lit. all the world knows)
biletele tuturor turiştilor sînt la agenţia de voiaj	all the tourists' tickets are at the travel agent's

As there is no separate form for the Genitive/Dative singular, the Nominative/Accusative form preceded by *a* may express the Genitive, and the same form preceded by *la* may express the dative:

am dat bani la toată lumea	I gave money to everyone

The following forms of *tot* are used as pronouns:

totul, toţii, toate, tuturor

Examples

fetele nu mai sînt aici, toate au plecat	the girls are no longer here, all of them have left
am făcut totul să-l ajut	I did everything to help him
studenţii au ajuns la Londra şi au spus cu toţii că au călătorit bine	The students arrived in London and they all said that they had had a good journey

F. Numerals

1. The cardinal numbers from 21 to 30 are:

21 douăzeci şi unu or douăzeci şi una
22 douăzeci şi doi or douăzeci şi două
23 douăzeci şi trei
24 douăzeci şi patru
25 douăzeci şi cinci
26 douăzeci şi şase
27 douăzeci şi şapte
28 douăzeci şi opt
29 douăzeci şi nouă
30 treizeci

The same pattern is followed to form the numbers up to 100. The 'tens' from 40 to 90 are:

40 patruzeci
50 cincizeci reduced in speech to /činzecĭ/
60 şaizeci
70 şaptezeci
80 optzeci reduced in speech to /obzecĭ/
90 nouăzeci

Examples

34 treizeci şi patru
46 patruzeci şi şase
67 şaizeci şi şapte
83 optzeci şi trei
99 nouăzeci şi nouă

The numbers from 100 are:

100 o sută
200 două sute
300 trei sute etc.

1000 o mie
2000 două mii
3000 trei mii etc.

1,000,000 un milion
2,000,000 două milioane
3,000,000 trei milioane

Note these examples:

101	o sută unu, o sută una
113	o sută treisprezece
265	două sute şaizeci şi cinci
540	cinci sute patruzeci
1979	o mie nouă sute şaptezeci şi nouă
10233	zece mii două sute treizeci şi trei

2. Remember that from 20 upwards de is used to link the numbers to a noun:

40 lei	patruzeci de lei
100 kilometres	o sută de kilometri
130 kilos	o sută treizeci de kilograme
3000 soldiers	trei mii de soldaţi
50,000 people	cincizeci de mii de oameni
2 million dollars	două milioane de dolari
5 million pounds sterling	cinci milioane de lire sterline

In enumerating years, e.g. 1922 'nineteen twenty-two', Romanian always uses the formula 'one thousand nine hundred and twenty-two': *o mie nouă sute douăzeci şi doi.*

3. In Romanian a full stop is used to separate thousands, while a comma (Romanian *virgulă*) is equivalent to a decimal point in English:

Eng.	2.3	Rom. 2,3 (doi virgulă trei)
Eng.	1,300	Rom. 1.300 (o mie trei sute)

3 CONVERSATION

Într-o după-amiază George se hotărăşte să facă nişte cumpărături. La o alimentară o vede pe Ana şi o strigă:

G: Ano, ce bine că te-am văzut. Vreau să cumpăr nişte alimente şi nu ştiu dacă mă descurc.

A: Te ajut eu. Aceasta este o alimentară cu autoservire. Trebuie să iei un coş şi să pui în el ce vrei să cumperi. Te duci apoi la casă unde plăteşti.

G: Vreau să cumpăr mai multe lucruri: gem, zahăr, orez, ulei de floarea soarelui, şuncă, brînză, vin şi apă minerală.

A: Să le luăm pe rînd. Eu iau şunca şi brînza fiindcă trebuie să fac coadă la delicatese. Tu să iei un borcan de gem, un kilogram de zahăr tos, un kilogram de orez, o sticlă de untdelemn, una de vin şi două de apă minerală.

G: Bine că am adus cîteva pungi cu mine.

Cînd ajunge la casă George plăteşte. Vînzătoarea pune cumpărăturile lui George în două pungi. Totul a costat şaizeci şi trei de lei şi cincizeci de bani.

4 TEXT

George stă într-un cămin de studenţi. Dimineaţa cînd se scoală deschide radioul. Şi azi dimineaţă a deschis radioul şi a ascultat un buletin de ştiri. Ca de obicei, ştirile au fost proaste. Într-o ţară a început un război, în altă ţară a căzut un avion. În Anglia a fost un accident de tren. Ştirile l-au deprimat pe George şi a închis radioul. S-a dus la reşou şi a încălzit apă pentru o cafea. A băut cafeaua în linişte. Apoi Nicu a bătut la uşa camerei lui George.

– George, eu sînt, Nicu!

– Mă bucur să te văd. Am ascultat ştirile şi m-au întristat.

– Am eu o veste bună. Azi la cantină avem friptură de porc şi îngheţată. Ce zici de asta?

– Bravo, mă simt deja mai bine. Să ne plimbăm puţin înainte de masă.

5 EXERCISES

A. Supply the required stressed or unstressed direct-object forms of the personal pronouns:

1. Ne-au întrebat pe ________ unde este o alimentară.
2. La vamă vameşii i-au controlat ________ Nicu şi ________ Mihai.
3. ________ am luat pe Ana şi pe doamna Predescu cu maşina.
4. Pe George ________ au lăsat la cămin.
5. Pe ________ de ce nu te-a invitat?
6. Pe dvs. nu ________ am văzut.
7. Pe Ana au sunat ________ acasă.
8. Ştirile ________ au deprimat pe George.

9. Bagajele ________ am lăsat la vamă.
10. Cărţile poştale ________ am trimis ieri.

Compare your answers with this key

1. noi
2. pe, pe
3. le-am
4. l-au
5. tine
6. v-am
7. sunat-o
8. l-au
9. le-am
10. le-am

B. Complete the passive voice

1. Aceste cărţi sînt scris__ în englezeşte.
2. George şi Nicu au fost vizitat__ de un prieten.
3. Paşapoartele noastre nu au fost controlat__.
4. Coletele acestea au fost trimis_ de ea.
5. Telegrama a fost trimis__ de George.
6. Nicu şi Radu au fost întrebat__ unde locuiesc.
7. Miniştrii au fost adus__ cu maşina.
8. Soţia a fost bătut__ de soţul ei.

Compare your answers with this key

1. scrise
2. vizitaţi
3. controlate
4. trimise
5. trimisă
6. întrebaţi
7. aduşi
8. bătută

C. Translate the text (4)

D. Translate

When George got up this morning he turned on the radio and listened to the news. As usual the news was bad. In one country there had been (trans. was) a train crash, and in another a war had begun (trans. began). George did not listen for very long because the news depressed him. He heated a little water and made a cup of coffee. Then Nicu knocked at his door. George was glad to see him. George decided to go with Nicu to do some shopping. At the grocer's they saw Ann. She helped them to buy some sugar, rice, jam, ham and cheese. They also bought a bottle of wine and two bottles of mineral water. George paid at the checkout and then put the shopping into three plastic bags.

– If I do not have time to eat at the canteen I eat in my room at the students' hostel, said George.
– I have some good news George, said Nicu. We've got roast pork today at the canteen.
– Good. We don't have roast meat very often at the canteen. Let us buy a bottle of beer to take with us to the canteen. What a good meal – roast pork and beer!

E. Compare your text with this key; then read the key aloud.

Cînd George s-a sculat azi dimineaţă a deschis radioul şi a ascultat ştirile. Ca de obicei ştirile au fost proaste. Într-o ţară a fost un accident de tren, şi în altă ţară a început un război. George n-a ascultat mult fiindcă ştirile l-au deprimat. A încălzit puţină apă şi a făcut o cafea. Apoi Nicu a bătut la uşa lui. George s-a bucurat să-l vadă. George s-a hotărît să se ducă cu Nicu să facă nişte cumpărături. La alimentară au văzut-o pe Ana. Ea i-a ajutat să cumpere nişte zahăr, orez, gem, şuncă şi brînză. Au cumpărat şi o sticlă cu vin şi două sticle cu apă minerală. George a plătit la casă şi apoi a pus cumpărăturile în trei pungi de plastic.

– Dacă n-am timp să mănînc la cantină mănînc în camera mea, la cămin, a spus George.
– Am o veste bună, George, a spus Nicu. Azi avem friptură de porc la cantină.
– Bine. Nu avem friptură prea des la cantină. Să cumpărăm o sticlă cu bere, s-o luăm cu noi la cantină. Ce masă bună – friptură de porc şi bere!

LESSON 14

1 VOCABULARY

adevăr – adevăruri n. truth
a-şi aminti vb. to remember
a arăta vb. to show
a aşeza vb. to lay
a se aşeza vb. to sit down
atunci adv. at that time, consequently
bineînţeles (că) adv. of course
bogat, bogată, bogaţi, bogate adj. rich
bucătărie – bucătării f. kitchen
cald, caldă, calzi, calde adj. warm
calorifer – calorifere n. radiator
cartof – cartofi m. potato
cămară – cămări f. cupboard
cheie – chei f. key
conopidă – conopide f. cauliflower
a curăţa vb. to peel, to clean
cuţit – cuţite n. knife
a desface vb. to undo, to uncork
desigur (că) adv. certainly
familie – familii f. family
farfurie – farfurii f. plate
fasole f. beans
faţă – feţe f. face, side
fericit, fericită, fericiţi, fericite adj. happy
fireşte (că) adv. naturally
floare – flori f. flower
foame f. hunger
a folosi vb. to use
formă – forme f. form
frică f. fear
frig n. cold
frigider – frigidere n. refrigerator
frizer – frizeri m. barber
furculiţă – furculiţe f. fork

iar conj. but, and, while
a-şi imagina vb. to imagine
în loc de prep. instead of
însă adv. however
a întinde vb. to stretch, to lay out
a se întoarce vb. to return
legumă – legume f. vegetable
lingură – linguri f. spoon
linguriţă – linguriţe f. teaspoon
mazăre f. peas
mîncare – mîncăruri f. food, dishes (kinds of food)
morcov – morcovi m. carrot
musafir – musafiri m. guest
obişnuit, obişnuită, obişnuiţi, obişnuite adj. usual
pe urmă adv. then
piaţă – pieţe f. market, square
a pierde vb. to lose
a plăcea vb. to be pleasing
a prefera vb. to prefer
a pregăti vb. to prepare
salată verde – salate verzi f. lettuce
sărac, săracă, săraci, sărace adj. poor
a scoate vb. to get out
sete f. thirst
sigur, sigură, siguri, sigure adj. certain
somn n. sleep
a spera vb. to hope
supă – supe f. soup
şerveţel – şerveţele n. napkin
tacîm – tacîmuri n. cover, place setting
ţăran – ţărani m. peasant
ţuică – ţuici f. plum brandy
a uita vb. to forget
varză – verze f. cabbage
a vinde vb. to sell
zarzavat – zarzavaturi n. green vegetables

Phrases

a p**u**ne m**a**sa	to lay the table
o f**a**ţă de m**a**să	a tablecloth
un perm**i**s de cond**u**cere	a driving licence
cum daţi cart**o**fii?	what price are you selling the potatoes at (lit. how do you give the potatoes?)
cinci lei kilogr**a**mul	five lei a kilo
hai, h**a**ide, h**a**idem, h**a**ideţi	come on
poftim?	pardon?
poft**i**ţi	here you are

2 GRAMMAR

A. Personal Pronouns: Unstressed Dative Forms

The unstressed indirect-object (dative) forms of the personal pronouns are listed below:

Subject	Indirect object
(eu)	îmi /îmĭ/ '(to, for) me'
(tu)	îţi /îtsĭ/ '(to, for) you'
(d-ta)	îţi /îtsĭ/ '(to, for) you'
(el)	îi '(to, for) him, it'
(ea)	îi '(to, for) her, it'
(noi)	ne '(to, for) us'
(voi)	vă '(to, for) you'
(dvs.)	vă '(to, for) you'
(ei)	le '(to, for) them'
(ele)	le '(to, for) them'

The unstressed dative form corresponding to the reflexive pronoun *se* is *îşi* /îshĭ/.

Examples

eu le trim**i**t col**e**tul	I am sending them the parcel
noi îi dăm b**a**nii	we give him/her the money

el ne spune totul	he tells us everything
ei îmi cumpără cărţi	they buy me books

Before the compound perfect these pronouns are reduced as follows:

îmi becomes	mi- /mi/
îţi	ţi- /tsi/
îi	i-
ne	ne-
vă	v-
le	le-
îşi	şi- /shi/

Note the change in value of final *i* in the forms

	mi /mi/	ţi /tsi/	şi /shi/
cf.	îmi /îmĭ/	îţi /îtsĭ/	îşi /îshĭ

Examples

ei ne-au trimis coletele	they sent us the parcels
el mi-a dat banii	he gave me the money
ea ţi-a spus adevărul	she told you the truth

Following the conjuctions *să*, *că*, *şi*, *the interrogatives ce, unde*, and the negative *nu*, the reduced forms *-mi*, *-ţi*, *-i*, *-şi* of *îmi*, *îţi*, *îi* and *îşi* respectively are used. The final *i* of the reduced forms used in these cases is pronounced /ĭ/.

Examples

el nu-mi dă cheia	he doesn't give me the key
el vrea să-mi dea cheia	he wants to give me the key
şi-i dă cheia	and he gives him/her the key
ea vrea să-ţi trimită cartea	she wants to send you the book
eu vreau să-i spun ceva	I want to tell him something
eu nu-i spun nimic	I'm not telling him anything
ce-mi spune el?	what is he saying to me?

B. Uses of the Dative Pronouns

1. The dative pronouns are used with the verbs *a trebui* 'to need' and *a plăcea* 'to be pleasing' (*a place* is a rival form of this infinitive preferred by the younger generation).

a trebu**i** is used impersonally with a dative pronoun:

îmi tr**e**buie un pix	I need a ballpoint pen (lit. there is necessary to me a ballpoint pen)
le tr**e**buie bani	they need money
ne tr**e**buie timp să f**a**cem **a**sta	we need time to do that

a plăc**e**a is also used impersonally: Note the use of the definite article cf. Lesson 8 2A 4.

îmi pl**a**ce cafe**a**ua	I like coffee (lit. the coffee is pleasing to me)
ne plac prăjit**u**rile	we like cakes (lit. the cakes are pleasing to us)
v-au plăc**u**t rom**a**nele?	did you like the novels?
ne-a plăc**u**t f**i**lmul	we liked the film

Note that there is a separate third person plural form: in the present tense it is *plac*, in the compound perfect it is *au plăcut*. *a plăcea* may also be used to introduce a *să* clause:

îţi pl**a**ce să călător**e**şti?	do you like travelling?
le pl**a**ce să înv**e**ţe limbi stră**i**ne	they like learning foreign languages

2. The dative pronouns often express possession and in many cases are preferred to possessive adjectives. The direct-object noun usually has the definite article:

ne v**i**ndem ma**ş**ina	we are selling our car
mi-am pierd**u**t c**ea**sul	I've lost my watch
ei mi-au lu**a**t portof**e**lul	they took my wallet
el şi-a uit**a**t bil**e**tul	he forgot his own ticket

Note the use of *îşi* in the above example but compare

el i-a pierd**u**t bil**e**tul	he lost his (someone else's) ticket

3. The unstressed dative pronouns may also be used with the verb when a proper noun is used as an indirect object. Sometimes, however, they are omitted:

i-au spus f**e**tei că fr**a**tele ei nu **e**ste ac**o**lo
they told the girl that her brother was not there
or au spus f**e**tei că fr**a**tele ei nu **e**ste ac**o**lo

i-am arăt**a**t miliţi**a**nului perm**i**sul meu de cond**u**cere
I showed the policeman my driving licence
or am arătat miliţi**a**nului perm**i**sul meu de cond**u**cere

The dative pronoun may not be omitted if the indirect-object noun precedes the verb:

lui N**i**cu i-e somn	Nick feels sleepy
Anei îi tr**e**buie o maş**i**nă	Ann needs a car
d**o**ctorului îi pl**a**ce să bea	the doctor likes drinking

4. A small number of verbs, known as dative reflexive verbs, must be conjugated with the dative pronoun even though their meaning does not appear to require it. Among such verbs are *a-şi imagina* 'to imagine' and *a-şi aminti* 'to remember'.

îmi imagin**e**z	ne imagin**ă**m
îţi imagin**e**zi	vă imagin**a**ţi
îşi imagin**ea**ză	îşi imagin**ea**ză
îmi amint**e**sc	ne amint**i**m
îţi amint**e**şti	vă amint**i**ţi
îşi amint**e**şte	îşi amint**e**sc

Examples

el îşi imagin**ea**ză că sînt bog**a**t	he imagines that I am rich
eu îmi amint**e**sc de el	I remember him
ne amint**i**m că l-am văz**u**t ac**o**lo	we remember that we saw him there

5. The dative pronouns form part of a number of impersonal constructions:

mi-e /mye/ somn	I am sleepy (lit. there is sleep to me)
mi-e f**oa**me	I am hungry

mi-e sete	I am thirsty
mi-e greu	it is difficult for me
mi-e frig	I am cold
mi-e cald	I am warm
mi-e frică	I am afraid
mi-e rău	I feel ill

Examples

ţi-e cald cu caloriferul deschis?	are you warm with the radiator on?
i-e frig iarna	he/she is cold in winter
ne e sete	we are thirsty
vă e foame?	are you hungry?
le e greu să vină la noi	it is difficult for them to come to us
Anei i-e frică să plece noaptea tîrziu	Ann is afraid to leave late at night

C. Adverbs

When such adverbs as *bineînţeles*, *fireşte* and *desigur* introduce a sentence they are followed by *că*:

bineînţeles că l-am vizitat	of course I visited him
desigur că au făcut-o	certainly they did it
cf. i-ai telefonat? Desigur	did you call him? Certainly

Note these other uses of **că**

sînt sigur că a plecat	I am sure that he left
Ana este fericită că George poate veni	Ann is happy that George is able to come
Nicu a spus că nu-i plac cartofii	Nick said that he didn't like potatoes

D. Conjunctions

We have seen that the conjunction *şi* may link two or more statements, nouns or adjectives:

el s-a întors acasă şi a făcut un ceai	he returned home and made a cup of tea
apartamentul acesta are patru camere şi o baie	this flat has four rooms and a bathroom

The conjunction *iar* 'and' plays more of a disjunctive role and usually introduces a note of contrast between two statements. It is not used to link nouns and adjectives and can often be translated by 'while' or 'but':

George s-a dus la frizer iar Nicu a ajutat-o pe Ana	George went to the barber's and/while Nick helped Ann

E. Interjections

In the conversation the form *poftiţi* was used. *Poftim* and *poftiţi* are often used when giving something to someone and may be roughly translated as 'here you are', 'there you are'. *Poftim* corresponds to the second person singular (tu) and *poftiţi* to the second person plural (*voi*, *dvs.*). Both may also be used to mean 'pardon?', 'what did you say?' as well as 'come in' when someone knocks on a door.

The forms *hai*, *haide*, *haidem*, *haideţi* are common in colloquial speech. *hai* and *haide* correspond to the second person singular and *haidem*, *haideţi* to the second person plural. They may be used on their own or with a *să*-clause:

hai	come on
haide	come on
hai să bem ceva	come and have a drink
haide să vedem filmul	come and see the film
haidem	let's go
haideţi	come on

3 CONVERSATION

Ana vrea să-i arate lui George cum să facă cumpărături în România. Ea l-a invitat pe George să vină cu ea la piaţă pentru că vrea să cumpere legume de la ţărani. Ana şi George se duc la un ţăran care (who) vinde cartofi:

A: Văd că aveţi cartofi frumoşi. Cum îi daţi?

Ţ: Îi dau cu cinci lei kilogramul.
A: Vă rog să-mi daţi trei kilograme.
Ţ: Cu plăcere. Cinşpe lei, vă rog.
A: Poftiţi cincisprezece lei. Ai văzut, George, că el a folosit forma 'cinşpe' în loc de cincisprezece.
G: Da, am văzut. Eu prefer, însă, să folosesc forma obişnuită.
A: Îţi plac morcovii, George?
G: Da, îmi plac. Îmi plac şi varza, conopida, fasolea şi mazărea.
A: Văd că ţi-e foame. Cumpărăm şi o conopidă şi pe urmă plecăm acasă.

4 TEXT

Familia Predescu aşteaptă musafiri la masa de seară. Ana a ajutat-o pe mama ei să pună masa. A adus o faţă de masă şi a întins-o. Apoi a pus tacîmurile – cuţite, furculiţe, linguri şi linguriţe. Doamna Predescu a aşezat paharele, farfuriile şi şerveţelele. Ea a pregătit deja mîncarea – supă de pui, friptură de vacă cu legume şi salată verde, şi îngheţată de ciocolată. Domnul Predescu a pus în frigider o sticlă cu vin alb şi a desfăcut deja o sticlă cu vin roşu. Mihai, băiatul lor, a scos o sticlă cu ţuică din cămară.

– A sunat la uşă, spune doamna Predescu.
– Deschid eu, spune Ana.

Intră musafirii lor, George şi Nicu.

– Bună seara, spun ei. Aici sînt nişte flori pentru doamna Predescu.
– Ce frumoase sînt. Mulţumesc.
– Sper că vă e foame. Masa este gata. Putem să ne aşezăm, spune domnul Predescu.

Toată lumea se aşează la masă. Doamna Predescu se duce la bucătărie să aducă supa.

5 EXERCISES

A. Supply the required unstressed dative forms of the personal pronouns in parentheses

1. George (ea)-a dat florile.
2. De ce nu (ei)-aţi spus adevărul?
3. El vrea să-(tu) dea nişte cartofi.

4. Ana (eu)-a arătat unde stă Nicu.
5. Nu (noi)-au plăcut legumele.
6. A spus că-(el) trebuie mulţi bani.
7. Doamna Predescu (se)-a pierdut ceasul.
8. Lui Radu (el) place să călătorească.
9. Eu nu-(eu) amintesc de el.
10. Văd că (tu)-e somn.
11. El (noi)-a vîndut maşina.
12. (El)-am arătat vameşului bagajele mele.
13. Ce (tu)-a spus doctorul?
14. Ea (se)-a pierdut buletinul.
15. Voi (voi)-aţi vîndut apartamentul.

Compare your answers with this key

1. i-a
2. le-aţi
3. să-ţi
4. mi-a
5. ne-au
6. că-i
7. şi-a
8. îi
9. nu-mi
10. ţi-e
11. ne-a
12. i-am
13. ţi-a
14. şi-a
15. v-aţi

B. Translate the text (4)

C. Translate

The Predescu family are expecting guests for dinner. Ann decided to help her mother with the shopping and went to the market to buy some vegetables. She bought five kilos of potatoes, two kilos of carrots and two lettuces. When she returned home she washed the lettuces and peeled the potatoes and carrots. Then she laid the table. She spread the tablecloth, set out the knives, forks and spoons, and brought the glasses, plates and napkins from the kitchen. Mrs Predescu prepared the food – chicken soup, roast beef and chocolate ice-cream. Mr Predescu undid a bottle of red wine while Michael brought the tsuica from the refrigerator. At seven o'clock the guests, George and Nick, arrived. George brought Mrs Predescu some beautiful flowers. A few minutes later everyone sat down at the table and Mrs Predescu brought the soup.

D. Compare your text with this key; then read the key aloud.

Familia Predescu aşteaptă musafiri la masa de seară. Ana s-a hotărît s-o ajute pe mama ei cu cumpărăturile şi s-a dus la piaţă să cumpere nişte legume. A cumpărat cinci kilograme de cartofi, două kilograme de morcovi şi două salate verzi. Cînd s-a întors acasă a spălat salatele verzi şi a curăţat cartofii şi morcovii. Apoi a pus masa. A întins faţa de masă, a aşezat cuţitele, furculiţele şi lingurile, şi a adus paharele, farfuriile şi şerveţelele de la bucătărie. Doamna Predescu a pregătit mîncarea – supă de pui, friptură de vacă şi îngheţată de ciocolată. Domnul Predescu a desfăcut o sticlă cu vin roşu iar Mihai a adus ţuica din frigider. La ora şapte musafirii, George şi Nicu, au sosit. George i-a adus doamnei Predescu nişte flori frumoase. Cîteva minute mai tîrziu toată lumea s-a aşezat la masă şi doamna Predescu a adus supa.

LESSON 15 REVISION

■ 1 TEXT

E joi. George s-a sculat la ora şase dimineaţa, s-a spălat repede, şi s-a grăbit să se îmbrace pentru că azi pleacă cu avionul în România şi trebuie să ajungă devreme la aeroport. Avionul lui pleacă la ora unsprezece. Trebuie să ia trei geamantane fiindcă stă nouă luni în România. Se tot întreabă dacă a luat tot, mai ales că n-a avut prea mult timp să facă cumpărături înainte de plecare. A închis geamantanele şi le-a dus la taxi. Taxiul a ajuns repede la aeroportul Heathrow unde George a avut timp să şi mănînce ceva.

Avionul a ajuns în patru ore la Bucureşti. La aeroportul Otopeni grănicerul român l-a întrebat pe George dacă are viza de intrare în România şi George a răspuns că a luat-o la ambasada română din Londra. La controlul bagajelor George a deschis geamantanele şi vameşul le-a controlat. La aeroport un student român, Nicu, l-a ajutat pe George să ducă bagajele la un taxi şi apoi au mers la căminul pentru studenţi străini, unde George are o cameră rezervată.

■ 2 CONVERSATION

Într-o zi George îi vede pe Ana şi Mihai pe stradă. Se duce la ei şi-i (= şi îi) întreabă:

G: Ce mai faceţi?
A,M: Bine, mulţumesc. Dar tu?
G: Tot bine. Mă duc la poştă să trimit o telegramă în Anglia.
A,M: Dacă vrei, venim şi noi să te ajutăm.
G: Vreau. Poşta este foarte aproape. Ajungem în două-trei minute.

La poştă George ia un formular de telegramă şi scrie textul. Apoi dă formularul funcţionarei şi întreabă:

G: Vă rog, cît costă să trimit această telegramă?

Funcţionara citeşte textul şi răspunde:

F: Douăzeci şi trei de lei.
G: Vreau şi trei timbre pentru cărţi poştale pentru Anglia.
F: Timbrele costă treisprezece lei.
G: Asta face în total treizeci şi şase de lei. Bine că am terminat. Acum vreau să vă invit la cinema.
A: Îmi pare rău, George, dar trebuie să mă duc la agenţia de voiaj. Vreau să iau un bilet de tren.
M: Eu vin cu tine, George. Sînt liber acum.
G: Mă bucur, Mihai. Pe Ana o lăsăm să cumpere biletul de tren.

3 EXERCISES

A Supply the possessive forms of the pronoun or adjective given in parentheses

1. Vreau să văd paşapoartele (vostru).
2. Avionul (meu) pleacă la ora patru.
3. Aceştia sînt pantofii (meu).
4. Acestea sînt geamantanele (ea).
5. Trenul (ei) a sosit acum o oră.
6. Biletul (el) nu mai e valabil.
7. Casa (meu) este lîngă parc.
8. Unde e pălăria (tău). N-o găsesc nicăieri.
9. Apartamentul (ei) este nou.
10. Harta (dvs.) este în maşină.

Compare your answers with this key

1. voastre
2. meu
3. mei
4. ei
5. lor
6. lui
7. mea
8. ta
9. lor
10. dvs.

B. Supply the requisite case-endings in the following examples

1. Autobuzul aeroport ________ este aici.
2. Eu dau paşaportul doctor ________.
3. El cumpără acest ________ dicţionare.
4. Casa domn ________ Predescu este lîngă parc.
5. Ei trimit bani studenţ ________.
6. Acest ________ doamne nu vorbesc bine englezeşte.
7. Profesor ________ merge cu autobuz ________ la gară.
8. Cînd sosesc aceşt ________ studenţi?
9. Unde locuiesc prietenii doctor ________?
10. Studenţii acest ________ universit ________ beau vin în bar.

Compare your answers with this key

1. aeroportului
2. doctorului
3. aceste
4. domnului
5. studenţilor
6. aceste
7. profesorul, autobuzul
8. aceşti
9. doctorului
10. acestei universităţi

C. Supply the requisite form of the demonstrative:

1. (Acela) este maşina lor.
2. Studentul (acesta) este ginerele lui.
3. Străzile (acela) sînt foarte murdare.
4. (Acest) prăjitură nu este dulce.
5. Cafeaua (acesta) este foarte proastă.
6. Profesorii (acesta) vorbesc bine englezeşte.
7. (Acest) prieten locuieşte la Cluj.
8. Fata doctorului (acela) este studentă.
9. Inginerii (acela) pleacă în Anglia.
10. (Acest) locuri nu sînt libere.

Compare your answers with this key

1. aceea
2. acesta
3. acelea
4. această
5. aceasta
6. aceştia
7. acest
8. aceluia
9. aceia
10. aceste

D. Give the subjunctive forms of the verbs in parentheses

1. Trebuie să (a pleca – eu) mîine.
2. Au încercat să (a telefona).
3. Ana a început să (a învăţa) limba franceză.
4. George s-a dus la poştă ca să (a trimite) o telegramă.
5. Nicu s-a grăbit să (a ajunge) la gară.
6. Noi i-am ajutat să (a face) cumpărăturile.
7. De ce nu te-ai hotărît să (a cumpără) apartamentul?
8. Ei ne-au invitat să (a sta) o lună în Anglia.
9. Eu n-am putut să (a deschide) uşa.
10. Mihai a venit să mă (a vedea) la cămîn.

Compare your answers with this key

1. plec
2. telefoneze
3. înveţe
4. trimită
5. ajungă
6. facă
7. cumperi
8. stăm
9. deschid
10. vadă

E. Put the verbs in the following sentences into the compound perfect tense

1. George o aşteaptă pe Ana.
2. Nicu răspunde că vine mîine.
3. El soseşte joi.
4. Ei mă ajută cu cumpărăturile.
5. Ana se îmbracă şi se spală pe dinţi.
6. Vameşul îi întreabă ce au în geamantane.
7. Noi nu putem veni.
8. Turiştii vor să vadă oraşul.
9. Taxiul ne lasă la hotel.
10. Toată lumea cumpără aceste radiouri.

Compare your answers with this key

1. a aşteptat-o
2. a răspuns
3. a sosit
4. m-au ajutat
5. s-a îmbrăcat, s-a spălat
6. i-a întrebat
7. n-am putut
8. au vrut
9. ne-a lăsat
10. a cumpărat

F. Translate

1. I am an engineer and I speak a little Romanian.
2. I am staying at the Intercontinental hotel.
3. I do not have a Romanian-English dictionary.
4. George is English and is learning Romanian at university.
5. He has many Romanian friends.
6. He writes letters in Romanian to a friend.
7. Mr Predescu works in an office.
8. He speaks English and French well.
9. Mrs Predescu also works in an office.
10. Mrs Predescu's office is next to the French embassy.
11. Mrs Predescu's son has a Dacia car.
12. How much does a Dacia car cost? I don't know but it isn't cheap.
13. The Romanians drink a lot of wine and coffee.
14. The English drink less wine but more tea than the Romanians.
15. I drink lots of cups of sweet coffee.
16. We eat a lot of bread.
17. This man hasn't got a Romanian visa.
18. These men put the passports on the desk.
19. These passports are still valid.
20. The boy's passport is no longer valid.
21. What shall we do? We'll go to the cinema.
22. They are going to have a meal at the hotel.
23. Where shall we have a meal?
24. We'll have a meal at the airport restaurant.

G. Compare your answers with this key; then read the key aloud

1. Sînt inginer şi vorbesc puţin româneşte.
2. Stau la hotelul Intercontinental.
3. Nu am un dicţionar englez-român.
4. George este englez şi învaţă limba română la universitate.
5. El are mulţi prieteni români.
6. El scrie scrisori în româneşte unui prieten.
7. Domnul Predescu lucrează într-un birou.
8. El vorbeşte bine englezeşte şi franţuzeşte.
9. Şi doamna Predescu lucrează într-un birou.
10. Biroul doamnei Predescu este lîngă ambasada franceză.
11. Băiatul doamnei Predescu are o maşină Dacia.
12. Cît costă o maşină Dacia? Nu ştiu dar nu este ieftină.
13. Românii beau mult vin şi multă cafea.
14. Englezii beau mai puţin vin dar mai mult ceai decît românii.
15. Eu beau multe cafele dulci.
16. Noi mîncăm multă pîine.
17. Acest domn nu are o viză românească.
18. Aceşti oameni au pus paşapoartele pe birou.
19. Aceste paşapoarte sînt încă valabile.
20. Paşaportul băiatului nu mai este valabil.
21. Ce facem? Mergem la cinema.
22. Ei iau masa la hotel.
23. Unde luăm noi masa?
24. Luăm masa la restaurantul aeroportului.

H. Translate

George had to wash and get dressed quickly this morning because he left today for Bucharest. His plane departed at ten o'clock. Before leaving he had time to drink a cup of tea and then he took a taxi to the airport. He reached Bucharest in three and a half hours. At Otopeni airport the customs officer checked his baggage and then a Romanian student, Nicu, helped George to carry the suitcases. They took a taxi to the foreign students' hostel where George left the suitcases. Nicu asked George if he would like (trans. wants) to visit the city and George replied that he would (trans. wants). They visited several places and after two or three hours decided to go to a restaurant to eat. After the meal they returned (s-au întors) to the hostel.

I. Compare your text with this key; then read the key aloud

George a trebuit să se spele şi să se îmbrace repede azi dimineaţă pentru că a plecat la Bucureşti. Avionul lui a plecat la ora zece. Înainte de plecare a avut timp să bea un ceai şi apoi a luat un taxi spre aeroport. A ajuns la Bucureşti în trei ore şi jumătate. La aeroportul Otopeni vameşul a controlat bagajele şi apoi un student român, Nicu, l-a ajutat pe George să ducă geamantanele. Au luat un taxi ca să meargă la căminul pentru studenţi străini unde George a lăsat geamantanele. Nicu l-a întrebat pe George dacă vrea să viziteze oraşul şi George a răspuns că vrea. Au vizitat mai multe locuri şi după două sau trei ore s-au hotărît să se ducă la un restaurant ca să mănînce. După masă s-au întors la cămin.

LESSON 16

1 VOCABULARY

a afla vb. to find
a se afla vb. to be situated
alpinism n. climbing
altfel adv. otherwise
a arde vb. to burn
ascensiune – ascensiuni f. climb
bijuterie – bijuterii f. jewel
a se bronza vb. to get a tan
coastă – coaste f. coast, rib (body)
Constanţa f. Constanţa
costum – costume n. suit
cravată – cravate f. tie
cremă – creme f. cream
curios; curioasă, curioşi, curioase adj. odd, strange
datorită prep. because of

deşi /deshi/ conj. although
a dura vb. to last, to take (of time)
graţie prep. thanks to
(în) curînd adv. soon
înot n. swimming
a înota vb. to swim
a se întîmpla vb. to happen
jos adv. low, on the ground
liniştit, liniştită, liniştiţi, liniştite adj. calm, quiet
litoral n. seaside
Mamaia f. Mamaia
mare – mări f. sea
mesaj – mesaje n. message
minunat, minunată, minunaţi, minunate adj. wonderful
mulţumită prep. thanks to
negru, neagră, negri, negre adj. black
a ninge vb. to snow
ninsoare – ninsori f. (falling) snow
nisip – nisipuri n. sand
ochelari m. pl. glasses, spectacles
a oferi vb. to offer
a se părea vb. to seem
plajă – plaje f. beach
ploaie – ploi f. rain
a ploua vb. to rain
poimîine adv. the day after tomorrow
port – porturi n. port
primăvară – primăveri f. spring
a prinde vb. to catch
privelişte – privelişti f. view, sight
prosop – prosoape n. towel
a rămîne vb. to remain
a reuşi (să) vb. to succeed (in)
revistă – reviste f. magazine
Rodica f. Rodica
schi /ski/ – schiuri n. ski, skiing
a schia vb. to ski
a se schimba vb. to change
splendid, splendidă, splendizi, splendide adj. splendid

staţiune – staţiuni f. holiday resort
sus adv. high (up)
tare adv. very, hard
tare, tare, tari, tari adj. strong
teleferic – teleferice n. cable railway
toamnă – toamne f. autumn
a se topi vb. to melt
a se transforma (în) vb. to turn into
a se unge vb. to oil oneself
vale – văi f. valley
vară – veri f. summer
vilă – vile f. villa, chalet
zăpadă – zăpezi f. snow (that has fallen)

Phrases

Marea Neagră	The Black Sea
la mare	to, at the seaside
pe litoral	at the seaside
pe coastă	on the coast
a sta la soare	to lie in the sun
a face plajă	to sunbathe
un costum de baie	a swimming costume
a pleca la munte	to leave for the mountains
a face ascensiuni pe munte	to go climbing in the mountains
la poalele munţilor Bucegi	at the foot of the Bucegi mountains
valea Prahovei	the valley of the river Prahova
primăvara	in the spring
vara	in the summer
toamna	in the autumn
iarna	in the winter
din păcate	unfortunately
destul de frig	fairly cold

2 GRAMMAR

A. Personal Pronouns

1. Stressed Dative Forms

Just as there is a set of stressed direct-object (accusative) pronouns corresponding to the unstressed forms, so there is a set of stressed indirect-object (dative) pronouns to correspond to the unstressed forms. The stressed dative pronouns give added emphasis and their use is optional, but they are never substituted for the unstressed forms and are nearly always used in conjunction with the latter. The stressed forms may come before or after the verb.

Subject	Indirect object unstressed	Indirect object stressed
(eu)	îmi	mie /miye/
(tu)	îţi	ţie /tsiye/
(d-ta)	îţi	dumitale
(el)	îi	lui
(ea)	îi	ei
(noi)	ne	nouă
(voi)	vă	vouă
(dvs.)	vă	dvs.
(ei)	le	lor
(ele)	le	lor
(el, ea, ei, ele)	îşi	lui, ei, lor, lor

Examples

mie îmi place să vorbesc limbi străine	*I* like speaking foreign languages
v-am dat vouă manualul	I gave *you* the textbook
le-a spus lor	he told *them*
nouă ne-au luat paşapoartele	they took *our* passports
i-am luat şi ei o cafea	I got *her* a coffee as well
v-a trimis şi dvs. o invitaţie	he sent *you* an invitation as well

The stressed reflexive *sie* corresponding to *îşi* is rarely used. It is replaced by *lui*, *ei*, or *lor*:

i-a cumpărat Anei o pălărie şi lui şi-a luat o cravată
he bought Ann a hat and bought for himself a tie

2. Uses of the Stressed Forms

These forms are used with three prepositions that govern the dative case

datorită	because of	owing to
graţie	thanks to	owing to
mulţumită	thanks to	

Examples

mulţumită vouă am reuşit să prind trenul	I managed to catch the train thanks to you
graţie lor ai prins avionul	you caught the plane thanks to them

3. Reduced Unstressed Dative Forms

It has already been pointed out that before the compound perfect and following certain conjunctions several of the unstressed dative pronouns are reduced:

el mi-a dat cheia	he gave me the key
el a vrut să-mi dea cheia	he wanted to give me the key

Furthermore, when an unstressed dative pronoun is used in a clause with an unstressed accusative pronoun, the dative precedes the accusative and reduces its forms as follows:

Indirect object	Reduced forms before the accusative pronoun
îmi	mi /mi/
îţi	ţi /tsi/
îi	i /i/
ne	ni /ni/

vă	vi /vi/
le	li /li/
îşi	şi /shi/

Examples

mi-l dă	he gives it (m./n.) to me
ni le dă	he gives them (f./n.) to us
li-i dă	he gives them (m.) to them
mi-l va da	he will give it (m./n.) to me
ni le va da	he will give them (f./n.) to us
li-i va da	he will give them (m.) to them
mi l-a dat	he gave it (m./n.) to me
ni le-a dat	he gave them (f./n.) to us
li i-a dat	he gave them (m.) to them

The form *dă* in the following examples is the singular imperative of *a da* (see Lesson 17):

dă-mi-l	give it (m./n.) to me
dă-ni-le	give them (f./n.) to us
dă-li-i	give them (m.) to them
dă-i-l	give it (m./n.) to him, her
dă-i-i	give them (m.) to him, her
dă-i-le	give them (f./n.) to him, her

With the unstressed accusative pronoun *o* the reduced forms used are the same as those used before the compound perfect i.e.

mi-
ţi-
i-
ne-
v-
le-
şi-

mi-o trimite	he sends it to me
v-o trimite	he sends it to you
le-o trimite	he sends it to them
mi-o va trimite	he will send it to me
v-o va trimite	he will send it to you
le-o va trimite	he will send it to them

mi-a trimis-o	he sent it to me
v-a trimis-o	he sent it to you
le-a trimis-o	he sent it to them
trimite-mi-o	send it to me
trimite-le-o	send it to them

Although the dative and accusative pronouns are often combined in a sentence, there are occasions when their use together is avoided for reasons of euphony. For example, the reduced dative form *li* is rarely found with the accusative *le*, its place being taken by its stressed counterpart *lor*

eu am trimis studenţilor biletele	I sent the tickets to the students
eu le-am trimis lor	I sent them (i.e. the tickets) to them (i.e. the students)
eu am oferit doamnelor florile	I offered the flowers to the ladies
eu le-am oferit lor	I offered them (i.e. the flowers) to them (i.e. the ladies)

The reduced dative forms used in conjunction with an accusative pronoun are also employed before the reflexive pronoun *se* when it forms part of an impersonal construction in Romanian (often translated in English by a verb in the passive):

mi s-a spus că ai plecat	I was told that you had left (lit. it was said to me that you had left)
i se pare curios	it seems strange to him
ni s-au oferit bijuteriile	we were offered the jewels (lit. to us were offered the jewels)
ţi s-a dat mesajul	you were given the message (lit. the message was passed on to you)

In the last two examples the noun is the subject.

Note that the impersonal verbs *a se părea* 'to seem' and *a se întîmpla* 'to happen' are used with the reduced dative pronouns:

mi se pare	it seems to me
ţi se pare	
i se pare	
ni se pare	
vi se pare	
li se pare	

mi s-a părut	it seemed to me etc.
mi se întîmplă	it happens to me etc.
mi s-a întîmplat	it happened to me etc.

B. Verbs

The Future Tense

Future time is expressed in Romanian by using auxiliary forms with the infinitive without *a*. These auxiliary forms are

voi	vom
vei	veţi
va	vor

The future tense of *a pleca* 'to leave' is thus

voi pleca	I shall leave	vom pleca	we shall leave
vei pleca	you will leave	veţi pleca	you will leave
va pleca	he, she will leave	vor pleca	they will leave

Examples

noi vom pleca mîine	we shall leave tomorrow
ei se vor duce dimineaţa	they will go in the morning
el ne va spune joi	he will tell us on Thursday
nu ne veţi ajuta?	will you not help us?

The above auxiliary forms, however, may be considered literary. More colloquially, future time is expressed by using *să* plus the subjunctive preceded by the invariable *o*:

o să plec	o să plecăm
o să pleci	o să plecaţi
o să plece	o să plece

Examples

noi o să plecăm mîine	we shall leave tomorrow
ei o să se ducă dimineaţa	they will go in the morning
el o să ne spună joi	he will tell us on Thursday
n-o să ne ajutaţi?	will you not help us?

A second colloquial form of the future is that involving the use of *să* plus the subjunctive preceded by the present tense of *a avea*:

am să plec	avem să plecăm
ai să pleci	aveţi să plecaţi
are să plece	au să plece

In practice, however, only the first three persons singular and the third person plural are used in speech.

Examples

el are să facă asta în curînd	he will do that soon
ei au să-mi trimită banii	they will send me the money
tu n-ai să fii fericit	you will not be happy
eu am să mă scol la ora nouă	I shall get up at nine o'clock

■ 3 CONVERSATION

George şi Nicu s-au hotărît să plece cîteva zile la munte. Deşi a venit primăvara ei speră să mai găsească zăpadă sus pe munte pentru că vor să schieze.

G: Nicule, ştiu că plecăm poimîine la munte dar unde vom sta.
N: Vom sta într-o vilă în staţiunea Buşteni.
G: Şi unde este staţiunea Buşteni?
N: Staţiunea Buşteni se află pe valea Prahovei la poalele munţilor Bucegi.
G: Şi cum vom ajunge sus pe munte?
N: Cu telefericul. Nu durează mult şi priveliştea e splendidă.
G: Sper că nu va ploua altfel se va topi toată zăpada.
N: Primăvara, din păcate, plouă des la munte dar dacă va fi destul de frig ploaia se va transforma în ninsoare. Atunci vom avea o zăpadă minunată pentru schi.
G: Atunci să nu ne uităm schiurile în Bucureşti.

4 TEXT

Ana şi prietena ei Rodica au plecat dimineaţa devreme la mare, la Mamaia. Au luat trenul din Gara de Nord pînă la gara din Constanţa de unde au luat troleibuzul pînă la Mamaia. Au încercat să găsească o cameră la hotelul Venus dar n-au reuşit. Au găsit, însă, o cameră cu două paturi şi duş la hotelul Riviera. Şi-au lăsat bagajele în cameră şi şi-au luat prosoapele şi costumele de baie. Au mers repede pe plajă unde s-au schimbat în costumele de baie şi s-au aşezat pe prosoape să se bronzeze.

– Ce cald e nisipul, zice Ana.
– Şi ce liniştită e marea, răspunde Rodica. Mie îmi place să înot cînd marea e aşa.
– Ştiu, datorită ţie am învăţat şi eu să înot. Îţi aminteşti cum ne-ai dat şi mie şi lui Mihai lecţii de înot acum un an?
– Sigur că da. Acum nu-ţi mai e frică de mare, zice Rodica şi pleacă să înoate puţin.

Ana rămîne pe plajă pentru că vrea să mai stea la soare. Se unge cu cremă ca să n-o ardă prea tare soarele. Îşi pune ochelarii de soare şi începe să citească o revistă.

5 EXERCISES

A. Using the forms with o put the verbs in the following sentences into the future

1. Ana şi Rodica s-au bronzat la mare.
2. Mihai nu ne-a spus unde e Nicu.
3. Eu m-am sculat la ora opt.
4. Nu putem merge la Constanţa.
5. Nu durează mult cu telefericul.
6. Ei se duc dimineaţa.
7. Mie nu mi-a dat cartea.
8. Nu mă ajuţi cu bagajele?
9. N-am găsit nici un taxi la aeroport.
10. Mi-am amintit mai tîrziu.

Compare your answers with this key

1. o să se bronzeze
2. n-o să ne spună

3. o să mă scol
4. n-o să putem
5. n-o să dureze
6. o să se ducă
7. n-o să-mi dea
8. n-o să mă ajuţi
9. n-o să găsesc
10. o să-mi amintesc

B. Supply the required stressed dative forms of the personal pronouns in parentheses

1. (El) îi place să vorbească limbi străine.
2. De ce nu ne-a spus (noi)?
3. (Voi) v-a dat cheile.
4. (Ei) le-au luat bilete de tren.
5. (Ea) i-a părut bine.

Compare your answers with this key

1. lui
2. nouă
3. vouă
4. lor
5. ei

C. Translate the following

1. He will give them (m.) to us.
2. She sent it (f.) to me.
3. They showed them (f./n.) to him.
4. I gave it (m./n.) to her.
5. We took them (m.) from him.

Compare your answers with this key

1. Ni-i va da.
2. Mi-a trimis-o.
3. I le-au arătat.
4. I l-am dat.
5. I i-am luat.

D. Translate the text (4).

E. Translate

The resort of Buşteni is situated in the Prahova valley at the foot of the Bucegi mountains. George and Nick are staying in a villa at Buşteni because they hope to do some skiing and to go climbing. They will go up into the mountains by cable railway. They hope that it will not rain because then the snow will melt. Although it rains in spring, the rain often turns to snow. George wants to get a tan.

Ann and Rodica also want to get a tan but they have gone to the seaside, not to the mountains. They are staying in Mamaia at the Riviera hotel, near to the beach. They have changed into their swimming costumes, put on their sun-glasses, and are sunbathing. Ann has covered herself with sun-cream to avoid sunburn and is reading a magazine.

F. Compare your answer with this key; then read the key aloud

Staţiunea Buşteni se află pe valea Prahovei la poalele munţilor Bucegi. George şi Nicu stau într-o vilă la Buşteni pentru că speră să schieze şi să facă ascensiuni. Ei vor ajunge sus pe munte cu teleferi-cul. Ei speră că nu va ploua fiindcă atunci se va topi zăpada. Deşi plouă primăvara, ploaia se transformă des în ninsoare. George vrea să se bronzeze.

Ana şi Rodica vor şi ele să se bronzeze dar s-au dus la mare, nu la munte. Ele stau în Mamaia, la hotelul Riviera, lîngă plajă. S-au schimbat în costumele lor de baie, şi-au pus ochelarii de soare, şi fac plajă. Ana s-a uns cu cremă ca să n-o ardă soarele şi citeşte o revistă.

LESSON 17

1 VOCABULARY

aglomer**a**t, aglomer**a**tă, aglomer**a**ţi, aglomer**a**te adj. crowded
alco**o**l n. alcohol
antinevr**a**lgic – antinevr**a**lgice n. headache pill

aspirină – aspirine f. aspirin
bolnav, bolnavă, bolnavi, bolnave adj. sick
cabinet – cabinete n. surgery
cap – capete n. head
a căuta vb. to look for
a cere vb. to ask for
chiar adv. even
a cînta vb. to sing
deocamdată adv. for the time being
a se dezbrăca vb. to undress
drogherie – drogherii f. (non-pharmaceutical) chemist's
a durea vb. to hurt
durere – dureri f. pain
a explica vb. to explain
farmacie – farmacii f. chemist's
farmacistă – farmaciste f. lady chemist
a se găsi vb. to be available
gît – gîturi n. neck
grav, gravă, gravi, grave adj. serious
gripă – gripe f. influenza
guturai n. runny nose
a ieşi (din) vb. to go out (of)
imediat adv. straightaway
întotdeauna adv. always
joi – joi f. Thursday
lămîie – lămîi f. lemon
luni – luni f. Monday
marţi – marţi f. Tuesday
medicament – medicamente n. medicine, drug
miercuri – miercuri f. Wednesday
a mulţumi vb. to thank
oară – ori f. occasion, time
ochi – ochi m. eye
odată adv. once
pacient – pacienţi m. patient
pansament – pansamente n. dressing
pastă – paste f. paste
perie – perii f. brush
picior – picioare n. leg

piept – piepturi n. chest, breast
plămîn – plămîni m. lung
policlinică – policlinici f. clinic
a porni vb. to set out, to start
prînz – prînzuri n. lunch (time)
a răci vb. to catch a cold
reţetă – reţete f. prescription
săptămînă – săptămîni f. week
a se simţi vb. to feel
singur, singură, singuri, singure adj. single, on one's own
sirop de tuse n. cough syrup
sîmbătă – sîmbete f. Saturday
soră – surori f. sister
spate n. back
stomac – stomacuri n. stomach
temperatură – temperaturi f. temperature
trecut, trecută, trecuţi, trecute adj. past
următor, următoare, următori, următoare adj. following
vată f. cotton-wool
viitor, viitoare, viitori, viitoare adj. future
vineri – vineri f. Friday
ziar – ziare n. daily newspaper

Phrases

uite!	look!
chiar azi	this very day
de serviciu	on duty
în regulă	alright, O.K.
a face un bon	to pay and obtain a receipt
a lua loc	to take a seat
în timpul săptămînii	during the week
peste o săptămînă	in a week's time
timp de o săptămînă	for a week

2 GRAMMAR

A. Verbs

The Imperative

1. The plural form of the imperative is the same as that of the second person plural present indicative

plec**a**ţi! leave
plec**a**ţi you are leaving

vorb**i**ţi! speak
vorb**i**ţi you are speaking

ven**i**ţi! come
ven**i**ţi you are coming

But note the irregular

fiţi! be

2. The singular form of the imperative is often the same as that of the second person singular present indicative, especially if the verb is intransitive i.e. it has no direct object

taci! be silent
taci you are silent

mergi! go!
mergi you are going

dormi! sleep!
dormi you are sleeping

There are a few verbs, however, which may be transitive that also use the second person singular form:

vezi! see!
vezi you are seeing

Nevertheless, most verbs that are transitive i.e. they have a direct object, use the third person singular present indicative

b**a**te-l! hit him!

citeşte cartea!	read the book!
trimite banii!	send the money!

It is useful to note that all verbs of the first conjugation and all those of the fourth with third person singular endings in *-eşte*, *-ăşte* or *-oară* form their singular imperative with the third person singular present indicative, irrespective of whether they are transitive or intransitive:

cîntă!	sing!
invită-le!	invite them!
primeşte!	receive!
coboară!	get down!
urăşte!	hate!

A number of verbs have unusual singular imperative forms. Among them are

a zice	zi!	say!
a face	fă!	do!
a lua	ia!	take!
a veni	vino!	come!
a fi	fii!	be!
a da	dă!	give!

3. The negative plural form of the imperative is identical to the negative second person plural present indicative:

nu plecaţi!	don't leave!
nu plecaţi	you are not leaving
nu vorbiţi!	don't speak!
nu vorbiţi	you are not speaking

But note

nu fiţi proşti!	don't be silly!

The negative singular imperative is formed by using the infinitive without *a* preceded by *nu*:

nu pleca!	don't leave!
nu veni!	don't come!
nu lua asta!	don't take that!
nu fi prost!	don't be silly!

4. Reflexive verbs form their plural imperatives in the same way as non-reflexive verbs, except that they suffix the pronoun *vă* (the final /ĭ/ of the second person plural becomes /i/)

duceţi-vă! go!
uitaţi-vă! look!

In the singular the third person singular form of the verb is used, the pronoun *te* being suffixed

uită-te! (often reduced to uite!) look!
spală-te! wash yourself!

But note irregular

du-te! go!

5. The negative imperative of reflexive verbs is formed in the same way as in the case of non-reflexive verbs, except that the pronouns *te* and *vă* precede the verb

nu te uita! don't look!
nu vă uitaţi! don't look!

nu te duce! don't go!
nu vă duceţi! don't go!

nu te grăbi! don't hurry!
nu vă grăbiţi! don't hurry!

6. In positive imperative constructions an unstressed accusative or dative pronoun follows the verb (note the use of the reduced forms of the pronoun). In such cases the final /ĭ/ of the second person plural becomes /i/ before all pronouns except *o*, before which it becomes /y/

trimite-l! send him!
trimiteţi-l! send him!
trimite-i cartea! send him the book!
trimiteţi-i cartea! send him the book!
trimite-i! send them!
trimiteţi-i! send them!
trimite-le cartea! send them the book!
trimiteţi-le cartea! send them the book!
trimite-o! send her, it!

trimiteţi-o!	send her, it!
trimite-mi cartea!	send me the book!
trimiteţi-mi cartea!	send me the book!

Before the pronoun *o* a final *-ă* of the imperative is elided unless the form is a monosyllable

învaţ-o!	teach her!
invit-o!	invite her!
ia-o!	take her, it!

7. In negative imperative constructions the unstressed accusative or dative pronoun precedes the verb

nu-l trimite!	don't send him!
nu-l trimiteţi!	don't send him!
nu-i da banii!	don't give him, her the money!
nu-i daţi banii!	don't give him, her the money!
nu-mi lua cheile!	don't take my keys!
nu-mi luaţi cheile!	don't take my keys!
n-o invita!	don't invite her!
n-o invitaţi!	don't invite her!

Remember that the subjunctive may also be used to express a mild imperative (Lesson 12)

să-l trimiteţi acasă!	send him home!
să nu faci asta!	don't do that!
să-i daţi ziarul!	give him the newspaper!

B. The Verb a dure*a*

The verb *a durea* 'to hurt' is impersonal and is used in the third person singular and plural only:

mă doare capul	I have a headache (the head hurts me)
îl doare spatele	his back hurts
mă dor ochii	my eyes hurt
mă dor dinţii	I have a toothache (the teeth hurt me)

mă doare în gît	I have a sore throat (it hurts me in the throat)
o doare în piept	she has a pain in the chest (it hurts her in the chest)
te doare stomacul?	do you have a stomach ache?
m-a durut capul	I had a headache
pe George îl doare capul	George has a headache

C. Time

1. The Days of the Week

These are written with small initial letters. They are

luni	Monday
marţi	Tuesday
miercuri	Wednesday
joi	Thursday
vineri	Friday
sîmbătă	Saturday
duminică	Sunday

When the day is qualified or indicates a regular or habitual occasion the definite article is suffixed:

lunea — on Mondays etc.
marţea
miercurea
joia
vinerea
sîmbăta
duminica

Other examples:

joia viitoare	next Thursday
joia trecută	last Thursday
joia mare	Maundy Thursday
vinerea mare	Good Friday
duminica mare	Easter Sunday

Less often the plural forms of the days with the definite article are used to denote regular occasions:

v**i**nerile	on Fridays
s**î**mbetele	on Saturdays

2. The Months of the Year

These are also written with small initial letters. They are all masculine:

ianu**a**rie	**i**ulie
febru**a**rie	**a**ugust
m**a**rtie	sept**e**mbrie
apr**i**lie	oct**o**mbrie
mai	noi**e**mbrie
iunie	dec**e**mbrie

Example

un sept**e**mbrie r**e**ce	a cold September

3. The Date

Cardinal numbers are used to express dates:

13 **i**ulie (treisprezece iulie)	July 13th
5 m**a**rtie (cinci martie)	March 5th

For 'the second' the form *două* is used

2 mai (două mai)	May 2nd

The ordinal *întîi* is used for 'the first'

1 ianu**a**rie (întîi ianuarie)	January 1st

Note the following:

azi sînt**e**m în 5 **a**ugust	it is August 5th today
azi e 5 **a**ugust	it is August 5th today
pe 23 **a**ugust	on August 23rd
la 23 **a**ugust	on August 23rd
azi e 5 **a**ugust 1980 (o mie nouă sute optzeci)	today is August 5th 1980

azi sînt**e**m în 5 **a**ugust 1980	today is August 5th 1980

4. Expressions of Time

We have already met a number of nouns that may be used adverbially to express a period of time e.g.

dimine**a**ţa	in the morning
după-m**a**să	in the afternoon
după-ami**a**ză	in the afternoon
se**a**ra	in the evening(s)
no**a**ptea	at night
z**i**ua	during the day

Note these other expressions:

ieri dimine**a**ţă	yesterday morning
azi dimine**a**ţă	this morning
m**î**ine dimine**a**ţă	tomorrow morning
ieri la prînz	yesterday lunchtime
azi la prînz	this lunchtime
m**î**ine la prînz	tomorrow lunchtime
ieri după-m**a**să	yesterday afternoon
azi după-m**a**să	this afternoon
m**î**ine după-m**a**să	tomorrow afternoon
ase**a**ră	yesterday evening, last night
dese**a**ră	this evening, tonight
astă-se**a**ră	this evening, tonight
m**î**ine se**a**ră	tomorrow evening

N.B. *deseară* is used if the speaker is talking in the morning and refers to 'this evening' while *astă-seară* is used if he is talking in the late afternoon.

azi-no**a**pte	last night
la no**a**pte	tonight
de azi într-o săptăm**î**nă	a week today
de m**î**ine într-o săptăm**î**nă	a week tomorrow
peste d**o**uă săptăm**î**ni	within a fortnight

săptămîna trecută	last week
săptămîna viitoare	next week
săptămîna următoare	the following week
vineri dimineaţă	Friday morning
vineri dimineaţa	on Friday in the morning
vineri la prînz	Friday lunchtime
vineri după-masă	on Friday afternoon
vineri seară	Friday evening
vineri seara	on Friday in the evening
vinerea dimineaţa	on Friday mornings
vinerea la prînz	at Friday lunchtimes
vinerea seara	on Friday evenings
acum un an	a year ago
anul trecut	last year
la anul	next year
anul viitor	next year
odată pe an	once a year
de două ori pe an	twice a year
odată la doi ani	once every two years

3 CONVERSATION

George: Azi-noapte am avut temperatură şi m-a durut capul. Cred că am răcit.

Nicu: Uite, George, du-te la doctor chiar azi. Dimineaţa doctorul este la policlinică pînă la ora unu, iar seara de la ora şase pînă la ora opt.

G: Te rog, vino cu mine. Singur nu cred că mă descurc.

N: Foarte bine, să pornim acuma.

La policlinică George vorbeşte cu sora de serviciu:

G: Bună ziua. Doresc să văd un doctor pentru că nu mă simt bine.

Sora: Imediat. Spuneţi-mi, însă, cum vă numiţi şi unde locuiţi.

G: Mă numesc George More, sînt englez şi locuiesc la căminul de studenţi străini.

Sora: Mulţumesc. Aşteptaţi, vă rog, puţin. Doctorul este deocamdată ocupat cu alt pacient. Luaţi loc pe scaun.

Bine că aţi venit dimineaţa cînd nu e multă lume. Seara este întotdeauna aglomerat.

După cinci minute se deschide uşa cabinetului medical şi doctorul îl invită pe George să intre.

Doctorul: Intraţi, vă rog.
G: Nicule, aşteaptă-mă, te rog, puţin.
D: Spuneţi-mi ce vă doare.
G: Mă doare capul, mă doare în gît şi am guturai.
D: Dezbrăcaţi-vă să vă ascult la plămîni. E în regulă, nu aveţi nimic grav, numai o formă uşoară de gripă. Luaţi două aspirine deseară şi încă două mîine dimineaţă şi staţi în pat toată ziua. Beţi multe ceaiuri cu lămîie şi nu ieşiţi din casă cîteva zile. O să vă dau o reţetă pentru nişte medicamente. Luaţi-le dimineaţa şi seara timp de o săptămînă. Acum îmbrăcaţi-vă.
G: Mulţumesc. Mă bucur că e numai o gripă.
D: Dacă nu vă simţiţi mai bine peste o săptămînă, veniţi iar la mine.
G: Mi se pare că mă simt deja mai bine. Mulţumesc, la revedere.
N: Hai să luăm repede medicamentele şi să ne întoarcem la cămin. Tu să stai în pat şi eu o să-ţi fac un ceai. După-masă am cursuri dar deseară sînt liber să stau cu tine. Iar mîine nu sînt cursuri pentru că e întîi mai.

■ 4 TEXT

George şi Nicu au ieşit din policlinică şi au căutat o farmacie. Au găsit una lîngă cinematograful Patria şi au intrat să cumpere medicamentele de pe reţetă. Au făcut un bon la casă unde au spus ce vor să cumpere şi apoi s-au dus cu bonul la farmacistă. Au cerut medicamentele, două pachete cu aspirine şi un sirop de tuse. Nicu şi-a luat un pachet cu vată, nişte pansamente şi nişte antinevralgice. George a vrut să ia şi o pastă de dinţi şi o perie de dinţi dar Nicu i-a explicat că astea se găsesc la drogherie, nu la farmacie.

5 EXERCISES

A. Give the singular and plural imperative forms of the following verbs:

1. a lua
2. a se uita
3. a se duce
4. a face
5. a vedea
6. a citi
7. a veni
8. a fi
9. a se spăla
10. a spune

Compare your answers with this key

1. ia, luaţi
2. uite, uitaţi-vă
3. du-te, duceţi-vă
4. fă, faceţi
5. vezi, vedeţi
6. citeşte, citiţi
7. vino, veniţi
8. fii, fiţi
9. spală-te, spălaţi-vă
10. spune, spuneţi

B. Translate

1. We shall go tomorrow morning.
2. They arrived yesterday evening.
3. We couldn't sleep last night
4. I sent the letter on April 23rd.
5. George, come to Cluj on Monday evening.
6. The students left for England this morning.
7. Nick went to the doctor's yesterday lunchtime.
8. Ann lost her watch a week ago.
9. They will pay for the car next week.
10. The visit begins tomorrow week.

Compare your answers with this key

1. Ne vom duce mîine dimineaţă.
2. Ei au sosit aseară.
3. N-am putut dormi azi-noapte.
4. Am trimis scrisoarea pe 23 aprilie.
5. George, vino la Cluj luni seară.
6. Studenţii au plecat azi dimineaţă în Anglia.
7. Nicu s-a dus la doctor ieri la prînz.

8. Ana şi-a pierdut ceasul acum o săptămînă.
9. Ei vor plăti maşina săptămîna viitoare.
10. Vizita începe de mîine într-o săptămînă.

C. Translate the text (4).

D. Translate

Last night George had a headache and a temperature. This morning he went to the clinic with Nick to see a doctor. At thc clinic the nurse asked George his name and address and told him to wait a little. A few minutes later the doctor came out of his surgery and invited George to enter. He asked George what was troubling him and George replied that he had a headache and a sore throat. The doctor told him to get undressed and he listened to his chest. He gave George a prescription and told him to drink a lot of lemon tea. George dressed, thanked the doctor and looked for a chemist's with Nick. They found one near a cinema and bought the medicines on the prescription.

E. Compare your text with this key; then read the key aloud

Pe George l-a durut aseară capul şi a avut temperatură. Azi dimineaţă s-a dus cu Nicu la policlinică să vadă un doctor. La policlinică sora l-a întrebat pe George cum se numeşte şi unde locuieşte şi i-a spus să aştepte puţin. Cîteva minute mai tîrziu doctorul a ieşit din cabinet şi l-a invitat pe George să intre. L-a întrebat pe George ce îl doare şi George a răspuns că îl doare capul şi că îl doare în gît. Doctorul i-a spus să se dezbrace şi l-a ascultat la piept. I-a dat lui George o reţetă şi i-a spus să bea multe ceaiuri cu lămîie. George s-a îmbrăcat, i-a mulţumit doctorului, şi a căutat cu Nicu o farmacie. Au găsit una lîngă un cinematograf şi au cumpărat medicamentele de pe reţetă.

LESSON 18

1 VOCABULARY

adus, adusă, aduşi, aduse   past part.   brought
amintire – amintiri   f.   memory
a aprinde   vb.   to turn on, to set light to
aranjament – aranjamente   n.   arrangement
a-şi aduce aminte (de)   vb.   to remember
biserică – biserici   f.   church
canal – canale   n.   television channel
casetă – casete   f.   tape cassette
casetofon – casetofoane   n.   cassette-recorder
cel, cea, cei, cele   adj. art.   the
a cîştiga   vb.   to earn, to win
coleg – colegi   m.   colleague
colindă – colinde   f.   carol
copilărie – copilării   f.   childhood
cor – coruri   n.   choir
Crăciun   n.   Christmas
a se culca   vb.   to go to bed
defect – defecte   n.   defect
a deranja   vb.   to upset, to annoy
dificultate – dificultăţi   f.   difficulty
disc – discuri   n.   record, disc
drum – drumuri   n.   way, road
după ce   conj.   after
ecran – ecrane   n.   screen
emoţie – emoţii   f.   excitement
extern, externă, externi, externe   adj.   foreign
fabrică – fabrici   f.   factory
fel – feluri   n.   kind, type
formaţie – formaţii   f.   group (pop music)
fotbal   n.   football
haină – haine   f.   jacket, clothes
a împodobi   vb.   to adorn
în timp ce   conj.   while
a se juca   vb.   to play

jucărie – jucării f. toy
lucru – lucruri n. thing
lumină – lumini f. light
magnetofon – magnetofoane n. tape-recorder
meci – meciuri n. match
miră – mire f. test-card
muncitoare – muncitoare f. female worker
muncitor – muncitori m. worker
muzică – muzici f. music
obosit, obosită, obosiţi, obosite adj. tired
ori de cîte ori conj. whenever
pînă cînd conj. until
plăcut, plăcută, plăcuţi, plăcute adj. pleasant
politică – politici f. politics, policy
poruncă – porunci f. order
a primi vb. to receive
priză – prize f. electric point
problemă – probleme f. problem
publicitate – publicităţi f. publicity
purtare – purtări f. behaviour
rudă – rude f. relative
sarma – sarmale f. stuffed vine leaves
a sărbători vb. to celebrate
scriitor – scriitori m. writer
a stinge vb. to put out, to extinguish
sufragerie – sufragerii f. dining-room
ştecăr – ştecăre n. electric plug
televiziune – televiziuni f. television network
televizor – televizoare n. television set
a trece vb. to pass
ultim, ultimă, ultimi, ultime adj. last
vecin – vecini m. neighbour
voie f. will, permission
zăpăcit, zăpăcită, zăpăciţi, zăpăcite adj. absent-minded
zgomot – zgomote n. noise

Phrases

îmi convine — it suits me

a da drumul la	to turn on
ce e la televizor?	what's on the TV?
ce e la radio?	what's on the radio?
a avea voie	to be allowed
Moş Crăciun	Father Christmas
pe rînd	in turn
a doua zi	the next day

2 GRAMMAR

A. The Possessive Article: *al, a, ai, ale*

The possessive article has a number of uses, one of the most common being with the possessive adjectives when they are employed without a noun (i.e. pronominally). In such cases the possessive article agrees in number and gender with the thing possessed, as does the possessive adjective. Its forms are:

	m.	f.	n.
s.	al	a	al
pl.	ai	ale	ale

Examples

banii ăştia sînt ai mei	this money is mine
maşina este a mea	the car is mine
lucrurile acestea sînt ale mele	these things are yours
ceasul este al meu	the watch is mine
acestea sînt ale lui	these things are his
prăjitura mai mare este a mea	the larger cake is mine

Note that such pronominal forms as *ai mei*, *ai tăi*, *ai lui* are often used to mean 'my parents', 'your parents', 'his parents' respectively.

When used with the noun in its indefinite form *de* may precede the possessive article to which it is linked by a hyphen:

un bilet de-al meu	a ticket of mine
o rudă de-a mea	a relative of mine
nişte colegi de-ai lui	some colleagues of his
nişte prietene de-ale lor	some girl-friends of theirs

The possessive article also introduces a genitive construction when this is not *immediately* preceded by a noun with the definite article:

o carte a unui student	a student's book
but	
cartea unui student	the book of a student
un avion al companiei TAROM	a plane of TAROM
but	
avionul companiei TAROM	TAROM's plane
nişte haine ale doamnei Predescu	some clothes of Mrs Predescu
but	
hainele doamnei Predescu	Mrs Predescu's clothes
scrisoarea lungă a scriitorului	the writer's long letter
but	
scrisoarea scriitorului	the writer's letter
politica externă a României	Romania's foreign policy
but	
politica României	Romania's policy

B. Agreement of Adjectives

1. We saw in Lesson 2 that the adjective normally follows the noun. A small number of adjectives, however, are often used before the noun for greater emphasis e.g.

o mică problemă	a small problem
un mic defect	a small defect
mari dificultăţi	great difficulties

When the noun is definite and is preceded by an adjective, it is the adjective that takes the definite article. In such cases its declension is as follows:

	m.	
	s.	pl.
N/A	frumosul actor	frumoşii actori
G/D	frumosului actor	frumoşilor actori

f.

	s.	pl.
N/A	frumoasa casă	frumoasele case
G/D	frumoasei case	frumoaselor case

n.

	s.	pl.
N/A	frumosul oraş	frumoasele oraşe
G/D	frumosului oraş	frumoaselor oraşe

m.

	s.	pl.
N/A	marele actor	marii actori
G/D	marelui actor	marilor actori

f.

	s.	pl.
N/A	marea problemă	marile probleme
G/D	marii probleme	marilor probleme

n.

	s.	pl.
N/A	marele film	marile filme
G/D	marelui film	marilor filme

m.

	s.	pl.
N/A	micul pom	micii pomi
G/D	micului pom	micilor pomi

f.

	s.	pl.
N/A	mica floare	micile flori
G/D	micii flori	micilor flori

n.

	s.	pl.
N/A	micul dicţionar	micile dicţionare
G/D	micului dicţionar	micilor dicţionare

Note the following examples:

micul ecran	the small screen (i.e. television)
mica publicitate	small ads (lit. the small publicity)
ultima oră	stop press (lit. the last hour)
Marea Britanie	Great Britain

2. When a noun is qualified both by an adjective and by a possessive adjective, both adjectives may either precede or follow the noun:

marea mea problemă	my great problem
noul tău prieten	your new friend

When the adjectives follow their order is reversed and they are usually linked by the adjectival article *cel* (see below). In this case the noun takes the definite article:

problema mea cea mare	my great problem
prietenul tău cel nou	your new friend

3. The Adjectival Article *cel*

m.

	s.	pl.
N/A	cel	cei
G/D	celui	celor

f.

	s.	pl.
N/A	cea	cele
G/D	celei	celor

n.

	s.	pl.
N/A	cel	cele
G/D	celui	celor

Examples

televizorul nostru cel nou	our new television
casetele lor cele noi	their new cassettes
Ştefan cel Mare	Stephen the Great
cele zece porunci	The Ten Commandments

C. Pronouns

1. *Unul*, *una* 'one', 'some'

In Lesson 3D we introduced the numerals *unul*, *una* when used as pronouns. The full declension of these pronouns is

m.

	s.	pl.
N/A	unul	unii
G/D	unuia	unora

f.

	s.	pl.
N/A	una	unele
G/D	uneia	unora

n.

	s.	pl.
N/A	unul	unele
G/D	unuia	unora

Examples

unul dintre studenţi e bolnav una dintre studente e bolnavă	one of the students is ill
unii dintre ei sînt muncitori unele dintre ele sînt muncitoare	some of them are workers
unora le place muzica	some of them like music
am lăsat unele din discurile astea acasă	I left some of these records at home
pălăria asta este a uneia din doamne	this hat belongs to one of the ladies
unora le convine aranjamentul dar altora nu	the arrangement suits some of them but not others

Note the use of *dintre* and *din* to mean 'of them' in the above examples. *Dintre* is preferred before a word beginning with a vowel.

When the direct object refers to a person *pe* is required:

pe unii îi deranjează purtarea lui	his behaviour annoys some people
l-au întrebat pe unul din miliţieni unde e poşta	they asked one of the policemen where the post-office was

The forms *unii* and *unele* may also be used adjectivally:

unele femei lucrează în fabrici	some women work in factories
unii oameni cîştigă bine	some people earn a good salary
unor studenţi le place muzica	some students like music

Do not confuse this usage of *unii*, *unele* with that of the adjective *nişte* 'some'. The latter refers to an undefined quantity, while *unii* is more precise, being almost equivalent in meaning to 'a certain number of':

erau nişte ţărani în camion	there were some peasants in the lorry
unii ţărani erau în costum	some (of the) peasants were in traditional costume

2. The adjective *alt* 'another' (see Lesson 9) may also be used as a pronoun. Its forms are

m.

	s.	pl.
N/A	altul	alţii
G/D	altuia	altora

f.

	s.	pl.
N/A	alta	altele
G/D	alteia	altora

n.

	s.	pl.
N/A	altul	altele
G/D	altuia	altora

Examples

unii dintre ei sînt muncitori, alţii nu	some of them are workers, others are not

unora le place muzica, altora nu	some of them like music, others do not

D. Verbs

The Imperfect Tense

This tense denotes a continuing or repeated action in the past, or a state. Thus the imperfect form *vedea* could be translated 'he was seeing', 'he used to see', 'he kept on seeing' or 'he saw', depending on the context. The imperfect is formed by suffixing a series of stressed endings to the infinitive.

To infinitives of the first and second conjugations the endings

-m	-m
-i	-ţi
-(zero)	-u

are added

e.g. a pleca

plecam	plecam
plecai	plecaţi
pleca	plecau

a avea

aveam	aveam
aveai	aveaţi
avea	aveau

To infinitives of the third conjugation and to those of the fourth in *-ui* the endings

-am	**-am**
-ai	**-aţi**
-a	**-au**

are added e.g. a trece

treceam	treceam
treceai	treceaţi
trecea	treceau

a locu**i**	
locui**am**	locui**am**
locui**ai**	locui**aţi**
locui**a**	locui**au**

These same endings are added to infinitives in *-î* after the final vowel has been dropped e.g.

a cobor**î**	
cobor**am**	cobor**am**
cobor**ai**	cobor**aţi**
cobor**a**	cobor**au**

To infinitives of the fourth conjugation other than those in *-ui* the endings

-e**am**	-e**am**
-e**ai**	-e**aţi**
-e**a**	-e**au**

are added after the final *-i* of the infinitive has been dropped e.g.

a vorb**i**	
vorbe**am**	vorbe**am**
vorbe**ai**	vorbe**aţi**
vorbe**a**	vorbe**au**

The following infinitives provide exceptions:

a fi	
er**am** /yeram/ etc.	er**am**
er**ai**	er**aţi**
er**a**	er**au**

a da	
dăde**am**	dăde**am**
dăde**ai**	dăde**aţi**
dăde**a**	dăde**au**

and

a sta	stăte**am**	etc.
a bate	băte**am**	etc.
a scrie	scri**am**	etc.

a şti	ştiam	etc.
a face	făceam	etc.
a întoarce	întorceam	etc.
a vrea	voiam	etc.
a trebui	trebuia	(a third person plural form trebuiau is also used

Examples

cînd eram copil mergeam des la cinema	when I was a child I often used to go to the cinema
ori de cîte ori mă vedea îmi dădea un leu	whenever he saw me he would give me a leu
în timp ce el făcea un duş ea a sunat la uşă	she rang at the door while he was taking a shower

Note the use of the imperfect with de mult, de puţin timp

George locuia de mult la Londra	George had been living for a long time in London
ei învăţau de puţin timp limba rusă	they had been learning Russian for a short time

3 CONVERSATION

George este acasă la Nicu. Ei stau în sufragerie şi ascultă radioul.

N: George, vrei să dau drumul la televizor să vedem ce e?
G: Da, te rog, dar să stingi lumina ca să vedem mai bine.
N: Nu ştiu de ce nu merge.
G: Ai pus ştecărul în priză?
N: Nu, ce zăpăcit sînt. Acum cred că merge.
G: Merge, dar pe canalul ăsta e numai mira. Încearcă să vezi ce e pe canalul doi.
N: E numai un meci de fotbal. Ce zici?
G: Mai bine închidem televizorul, aprindem iar lumina şi dăm drumul la casetofon să ascultăm nişte muzică.
N: Să punem o casetă de-a mea. Ce preferi, muzică simfonică sau o formaţie de muzică 'pop'?
G: Să ascultăm nişte muzică simfonică. Mă doare capul şi nu-mi place prea mult zgomot.

4 TEXT

Într-o zi Nicu îşi amintea de copilăria lui:

Şi acum îmi aduc aminte cum sărbătoream Crăciunul cînd eram copil. În seara de 24 decembrie părinţii mei împodobeau pomul de Crăciun. Acesta era un brad cumpărat din piaţă de tatăl meu. Noi copiii nu aveam voie să-l vedem înainte. Cînd era gata mama deschidea uşa sufrageriei şi noi intram. Ce bucurie şi ce emoţie! Sub pom erau cadourile noastre aduse de Moş Crăciun. Cîntam pe rînd colinde şi ne primeam cadourile. După ce le deschideam, ne jucam puţin cu ele şi pe urmă nc aşczam la masă. Şi ce lucruri bune erau pe masă! Friptură, sarmale, şi multe feluri de prăjituri. În seara aceea ne culcam mai tîrziu ca de obicei. Şi ce obosiţi eram! A doua zi mergeam la biserică unde corul cînta colinde. Ce amintiri plăcute!

5 EXERCISES

A. Translate the following:

1. These tickets are mine.
2. That cassette-recorder is Nick's.
3. This record of mine is very old.
4. He sat on Mrs Predescu's new hat.
5. This old watch of his does not go.
6. Some relatives of George are coming to Bucharest.
7. Some of the students don't like football.
8. Britain's problems are great.
9. One of the lorries will not start.
10. Some of their friends visited the resort yesterday.

Compare your answers with this key

1. Aceste bilete sînt ale mele.
2. Acel casetofon este al lui Nicu.
3. Acest disc de-al meu este foarte vechi.
4. S-a aşezat pe pălăria nouă a doamnei Predescu.
5. Acest ceas vechi de-al lui nu merge.
6. Nişte rude de-ale lui George vin la Bucureşti.
7. Unora dintre studenţi nu le place fotbalul.

8. Dificultăţile Marii Britanii sînt mari.
9. Unul din camioane nu porneşte.
10. Unii dintre prietenii lor au vizitat ieri staţiunea.

B. Change the verbs in the following sentences into the imperfect:

1. Ana i-a cerut lui Mihai un pix.
2. Eu n-am vrut să plec.
3. Nu le-a plăcut nimic.
4. M-am întors des la Bucureşti.
5. Am ştiut dar n-am făcut nimic.
6. Ei au coborît din autobuz în piaţă.
7. Nicu a avut o maşină.
8. El a trebuit să se dezbrace la doctor.
9. Noi am crezut dar ei nu.
10. I-am explicat problemele astea.

Compare your answers with this key

1. îi cerea
2. nu voiam
3. le plăcea
4. mă întorceam
5. ştiam, făceam
6. coborau
7. avea
8. trebuia
9. credeam
10. îi explicam

C. Translate the text (4).

D. Translate

Do you remember how we used to celebrate Christmas when we were children? Our parents used to buy a Christmas tree from the market and on December 24th they decorated it. We children waited in the kitchen until the tree was ready. When mother called us we quickly entered the dining-room and saw the tree. Beneath it were our presents. We sang carols and then our parents gave us the presents. After we played with them a little, we sat down at the table and ate many good things. We went to bed late, very tired but happy.

E. Compare your text with this key; then read the key aloud:

Îţi aduci aminte cum sărbătoream Crăciunul cînd eram copii? Părinţii noştri cumpărau din piaţă un pom de Crăciun şi pe 24 decembrie îl împodobeau. Noi copiii aşteptam în bucătărie pînă cînd pomul era gata. Cînd mama ne striga intram repede în sufragerie şi vedeam pomul. Sub el erau cadourile noastre. Cîntam colinde şi apoi părinţii noştri ne dădeau cadourile. După ce ne jucam puţin cu ele, ne aşezam la masă şi mîncam multe lucruri bune. Ne culcam tîrziu, foarte obosiţi dar fericiţi.

LESSON 19

1 VOCABULARY

alb, **a**lbă, albi, **a**lbe adj. white
alb**a**stru, alb**a**stră, alb**a**ştri, alb**a**stre adj. blue
a al**e**ge vb. to choose
arm**a**tă – arm**a**te f. army
astăzi adv. today
atrăgăt**o**r, atrăgăto**a**re, atrăgăt**o**ri, atrăgăto**a**re adj. attractive
bancn**o**tă – bancn**o**te f. banknote
bej adj. beige
bicicl**e**tă – bicicl**e**te f. bicycle
bombo**a**nă – bombo**a**ne f. sweet
capit**a**lă – capit**a**le f. capital city
c**a**re rel. pron. who
casier**i**ţă – casier**i**ţe f. cashier
castan**i**u, castan**i**e, castan**i**i, castan**i**i adj. chestnut
cast**e**l – cast**e**le n. castle
a căd**e**a vb. to fall
căpr**u**i, căpr**u**ie, căpr**u**i, căpr**u**i adj. brown

cec – cecuri n. cheque
chitanţă – chitanţe f. receipt
clădire – clădiri f. building
a completa vb. to fill in
crud, crudă, cruzi, crude adj. cruel, raw
culoare – culori f. colour
a cunoaşte vb. to know (someone)
curs – cursuri n. rate of exchange
a domni vb. to rule
domnitor – domnitori m. ruler
după prep. according to
duşman – duşmani m. enemy
fiecare ind. pron. each, every
formular – formulare n. form
fotografie – fotografii f. photograph
fular – fulare n. scarf
galben, galbenă, galbeni, galbene adj. yellow
gri adj. grey
iarăşi adv. again
înalt, înaltă, înalţi, înalte adj. tall
a încasa vb. to cash
însemnat, însemnată, însemnaţi, însemnate adj. important
a învinge vb. to defeat
magazin – magazine n. shop
maro adj. brown
mănăstire – mănăstiri f. monastery
milă – mile f. mercy, pity
moarte – morţi f. death
modă – mode f. fashion
modern, modernă, moderni, moderne adj. modern
mov adj. mauve
nume – nume n. name
a se numi vb. to be called
pantaloni m. pl. trousers
pantof – pantofi m. shoe
a se petrece vb. to take place
pisică – pisici f. cat
plictisitor, plictisitoare, plictisitori, plictisitoare adj. boring
poreclit, poreclită, porecliţi, poreclite past part. nicknamed

poză – poze f. photograph
rochie – rochii f. dress
roşu, roşie, roşii, roşii adj. red
roz adj. pink
a scăpa vb. to free, to drop, to escape
secol – secole n. century
a semna vb. to sign
subţire, subţire, subţiri, subţiri adj. thin
sumă – sume f. sum, amount
şedinţă – şedinţe f. meeting
şic adj. elegant
a tăia vb. to cut
tehnic, tehnică, tehnici, tehnice adj. technical
titlu – titluri n. title
a trage vb. to pull
turc – turci m. Turk
a ucide vb. to kill
a se urca vb. to climb up, to ascend
valută – valute f. hard currency
verde, verde, verzi, verzi adj. green

Phrases

Banca de Comerţ Exterior	The Bank for Foreign Trade
birou de schimb	exchange office
sînt 12 lei la un dolar	there are 12 lei to the dollar
a sta bine (+ dative)	to suit
a trage în ţeapă	to impale
Vlad Dracul	Vlad the Devil
Vlad Ţepeş	Vlad the Impaler
Moldova	Moldavia
Ţara Românească	Wallachia
Transilvania	Transylvania

2 GRAMMAR

A. Verbs

The Past Historic

As well as the compound perfect and the imperfect tenses Romanian also has a past historic tense to indicate an action that took place in the past. In some dialect areas, especially Oltenia, the past historic replaces the compound perfect but otherwise it is rarely used in standard spoken Romanian. In writing, the past historic is used in a formal style and is found particularly in historical works where it is equivalent to the compound perfect in meaning. The past historic is also known as the simple perfect, preterite or simple past.

The past historic is formed by adding the following endings to the past participle stem:

-i	-răm
-şi	-răţi
-(zero)	-ră

Examples

a plec**a** (past part. plec**at**)

plec**ai**	plec**ar**ăm
plec**aşi**	plec**ar**ăţi
plec**ă**	plec**ar**ă

a tăi**a** (past part. tăi**at**)

tăi**ai**	tăi**ar**ăm
tăi**aşi**	tăi**ar**ăţi
tăi**e**	tăi**ar**ă

Note that infinitives in *-ia* form the third person singular in *-e*, not *-ă*.

a ave**a** (past part. av**ut**)

av**ui**	av**ur**ăm
av**uşi**	av**ur**ăti
av**u**	av**ur**ă

a cr**e**de (past part. crez**ut**)

crez**ui**	crez**u**răm
crez**u**şi	crez**u**răţi
crez**u**	crez**u**ră

a cit**i** (past part. cit**i**t)

cit**i**i	cit**i**răm
cit**i**şi	cit**i**răţi
cit**i**	cit**i**ră

a cobor**î** (past part. cobor**î**t)

cobor**î**i	cobor**î**răm
cobor**î**şi	cobor**î**răţi
cobor**î**	cobor**î**ră

Verbs whose past participles end in *-s* usually form their past historic as follows (note the stress in the third person singular and plural):

a m**e**rge (past part. mers)

mers**e**i	mers**e**răm
mers**e**şi	mers**e**răţi
m**e**rse	m**e**rseră

a trim**i**te (past part. trim**i**s)

trimis**e**i	trimis**e**răm
trimis**e**şi	trimis**e**răţi
trim**i**se	trim**i**seră

The verb *a fi* is irregular and has two forms for the past historic:

fui	f**u**răm
fuşi	f**u**răţi
fu	f**u**ră

and

fusei	fus**e**răm
fus**e**şi	fus**e**răţi
f**u**se	f**u**seră

Note the following exceptional forms:

a da

dăd**ui**	dăd**u**răm
dăd**u**şi	dăd**u**răţi
dăd**u**	dăd**u**ră

a sta

stătui	stăturăm
stătuşi	stăturăţi
stătu	stătură

a întoarce

întorsei	întorserăm
întorseşi	întorserăţi
întoarse	întoarseră

B. Adjectives

1. There are a few adjectives in Romanian that are invariable i.e. they do not agree with the noun in number, gender or case. Amongst the most common of such adjectives are:

bej	beige
gri	grey
maro	brown
mov	mauve
roz	pink
şic	elegant

Examples

Radu are nişte pantaloni gri	Radu has got some grey trousers
Ana poartă o fustă bej	Ann is wearing a beige skirt
această cravată este foarte şic	this tie is very chic

maro is the general adjective for 'brown' but when describing the eyes and hair the adjectives *căprui* 'brown' and *castaniu* 'chestnut' are used respectively:

el are ochi căprui	he has brown eyes
ea are păr castaniu	she has brown hair

2. When two or more adjectives qualify a noun they are often linked by *şi*:

un bărbat înalt şi subţire	a tall, slim man

o şedinţă lungă şi plictisitoare	a long, boring meeting

However, a number of commonly used adjectives such as *mare*, *mic* and *vechi* often precede the noun:

un mare oraş modern	a large, modern town
o mică problemă tehnică	a small, technical problem
o veche mănăstire românească	an old Romanian monastery
Marea Adunare Naţională	The Grand National Assembly

C. Pronouns

1. The Interrogative Pronoun cine *'who'*

The forms of this pronoun are:

N	cine	who
A	pe cine	whom
G	al, a, ai, ale cui	whose
D	cui	to whom

Remember that the possessive article *a*, *al*, *ai*, *ale* agrees in number and gender with the noun possessed (*not* with the possessor).

cine a telefonat?	who telephoned?
pe cine ai văzut?	whom did you see?
pe cine au luat cu ei?	who did they take with them?
al cui este fularul?	whose scarf is it?
ale cui sînt fotografiile?	whose photographs are they?
ai cui sînt pantofii?	whose shoes are they?
a cui este pisica?	whose cat is it?

In the dative case *cui* is supported by the unstressed dative pronoun *îi*:

cui îi place mîncarea?	who likes the food?

2. The Relative and Interrogative Pronoun care

care when used as a relative pronoun means 'who', 'which', and when used as an interrogative means 'which?', 'which one?'. The forms of *care* are:

	s.	
	m./n.	f.
N	care	care
A	pe care	pe care
G	al, a, ai, ale cărui	al, a, ai, ale cărei
D	căruia	căreia

	pl.
	m./f./n.
N	care
A	pe care
G	al, a, ai, ale căror
D	cărora

The accusative form *pe care* is supported by the unstressed accusative pronoun while the possessive article of the genitive agrees in number and gender with the noun possessed (*cărui*, *cărei*, *căror* agree with the possessor):

acolo este fata care lucrează la poştă	over there is a girl who works at the post-office
vine omul pe care l-am văzut la gară	the man whom I saw at the station is coming
pălăria pe care ai găsit-o este a mea	the hat that you found is mine
turiştii pe care i-am cunoscut în avion au plecat	the tourists that I have met on the plane have left
Anglia este ţara a cărei capitală este Londra	England is the country whose capital is London
studenţii ale căror biciclete sînt afară mănîncă în cantină	the students whose bicycles are outside are eating in the canteen

In the dative case *căruia* and *căreia* are supported by *îi*, and *cărora* by *le*:

doctorul căruia i-am scris n-a răspuns	the doctor to whom I wrote has not replied

studenta căreia i-aţi trimis cartea n-a venit azi	the student to whom you sent the book hasn't come today
vameşii cărora le-au arătat geamantanele au plecat	the customs officers to whom they showed the suitcases have left

Note that a preposition directly precedes *care*:

aici este clădirea lîngă care a avut loc accidentul	here is the building beside which the accident took place
unde este cutia în carc am pus hîrtiile?	where is the box in which I put the papers?
aceasta este maşina sub care am găsit portofelul	this is the car under which I found the wallet

3. Pronouns: cel, cea, cei, cele

In the previous lesson we met the adjectival article *cel*. This same form may also be used as a pronoun with the meaning 'the one', 'those':

prăjiturile româneşti sînt mai dulci decît cele englezeşti	Romanian cakes are sweeter than English ones
cel care citeşte este american	the one who is reading is American
cei care ascultă învaţă	those who listen learn

4. Indefinite Pronouns and Adjectives

The indefinite adjective *fiecare* 'each', 'every' declines as follows (thc plural forms, however, are replaced in colloquial usage by *toţi*, *toate* or *tuturor*):

	m./n.	
	s.	pl.
N/A	fiecare	fiecare
G/D	fiecărui	fiecăror

	f.	
	s.	pl.
N/A	fiecare	fiecare
G/D	fiecărei	fiecăror

Examples

fiecare om trebuie să mănînce	everyone has to eat
i-am dat bomboane fiecărui copil	I gave sweets to each child

but

Ion le-a trimis tuturor prietenilor lui felicitări de Crăciun	John sent Christmas cards to all his friends

When used as a pronoun an *-a* is suffixed to the Genitive/Dative forms:

	m./n.	
	s.	pl.
G/D	fiecăruia	fiecărora

	f.	
	s.	pl.
G/D	fiecăreia	fiecărora

Examples

i-am spus fiecăruia să plece acasă	I told each one to go home

but

le-am spus tuturor adevărul	I told all of them the truth

■ 3 CONVERSATION

George îl roagă pe Nicu să-i spună unde poate să schimbe nişte bani:

G: Nicule, am primit nişte bani de acasă şi vreau să-i schimb în lei. Unde pot să-i schimb.
N: Du-te la Banca de Comerţ Exterior sau, mai simplu, la un birou de schimb într-un hotel. Dacă vrei vin cu tine.
G: Bine, mulţumesc. Vreau să schimb douăzeci de lire sterline şi să încasez un cec de cincizeci de dolari.

George şi Nicu se duc la un hotel ca să schimbe banii. George vorbeşte cu casieriţa:

G: Vreau să schimb aceşti bani în lei. Am douăzeci de lire în bancnote şi cincizeci de dolari în cecuri.
C: Cu plăcere. Vă rog să semnaţi cecurile şi să completaţi acest formular.
G: Puteţi să-mi spuneţi care este cursul?
C: Da, sînt douăzeci şi cinci de lei la o liră sterlină şi doisprezece lei la un dolar. Deci primiţi cinci sute de lei pentru lirele pe care le aveţi şi şase sute de lei pentru dolarii pe care îi schimbaţi.
G: Mulţumesc. Nicule, sîntem bogaţi.

■ 4 CONVERSATION

Ana şi mama ei, doamna Predescu, se duc să caute o rochie pentru Ana. Ele intră într-un mare magazin de modă.

A: Ce zici de rochia asta roşie, mamă?
D.P.: E prea scurtă şi nici nu-mi place culoarea. Încearcă una albastră.
A: Dar culoarea albastru nu-mi stă bine.
D.P.: Încearcă una verde atunci.
A: Nici culoarea verde nu-mi place. Mai bine cumpăr o rochie bej. Uite rochia asta nu e scurtă şi culoarea e atrăgătoare.
D.P.: Încearc-o şi vom vedea.

■ 5 TEXT

Domnitorul Vlad Ţepeş se urcă pe tronul Ţării Româneşti în anul 1436 şi încercă să scape ţara de turci. Om crud, îşi ucise duşmanii fără milă. Pe mulţi îi trase în ţeapă. De aceea fu poreclit Vlad Ţepeş sau Vlad Dracul. Mai tîrziu, în secolul XIX, un scriitor britanic

Bram Stoker scrise romanul Dracula care se petrecea în Transilvania. Acest scriitor călători în Transilvania şi auzi de Vlad Dracul, după al cărui nume alese titlul romanului său.

Astăzi mulţi turişti străini vizitează castelul Bran din Transilvania şi li se spune că este castelul lui Vlad. . . .

6 EXERCISES

A. Translate the following:

1. Whose dress is this?
2. Who did he telephone?
3. The friend to whom I gave the book has not returned yet.
4. To whom did they send the photographs?
5. What is the colour of his car?
6. Which cat drank the milk?
7. Who did they take with them to the mountains?
8. The monastery that they visited is very old.
9. The man who cashed the cheques is staying at this hotel.
10. Why do I have to fill in all these forms?

Compare your answers with this key

1. A cui este rochia aceasta?
2. Cui i-a telefonat?
3. Prietenul căruia i-am dat cartea nu s-a întors încă.
4. Cui i-au trimis fotografiile?
5. Care este culoarea maşinii lui?
6. Care pisică a băut laptele?
7. Pe cine au luat cu ei la munte?
8. Mănăstirea pe care au vizitat-o este foarte veche.
9. Domnul care a încasat cecurile stă la acest hotel.
10. De ce trebuie să completez toate formularele acestea?

B. Translate

When I was in Bucharest I often changed hard currency into lei. I would go to the exchange desk in a hotel and tell the cashier that I wanted to change some pounds or dollars into lei. The cashier would ask me for my passport and then she would change the money. She would give me a receipt which showed the exchange rate and the amount changed, and then she would give me the lei.

C. Compare your text with this key; then read the key aloud

Cînd eram la Bucureşti schimbam des valută în lei. Mergeam la biroul de schimb într-un hotel şi îi spuneam casieriţei că vreau să schimb nişte lire sterline sau dolari în lei. Casieriţa îmi cerea paşaportul şi apoi schimba banii. Îmi dădea o chitanţă care arăta cursul şi suma schimbată, şi apoi îmi dădea leii.

Remember the sequence of tenses in Romanian, hence the present tense form *vreau* in the above key.

LESSON 20

1 VOCABULARY

a acoper**i** vb. to cover
ad**î**nc, ad**î**ncă, ad**î**nci, ad**î**nce adj. deep
amfite**a**tru – amfite**a**tre n. amphitheatre
amînd**o**i, amînd**o**uă num. both
a se apropi**a** vb. to approach
ap**u**s. n. west
aur n. gold
cap**i**tol – cap**i**tole n. chapter
carti**e**r – carti**e**re n. borough
castrav**e**te – castrav**e**ţi m. cucumber
cărb**u**ne – cărb**u**ni m. coal
chef – ch**e**furi n. party
cîmp**i**e – cîmp**i**i f. plain
a comand**a** vb. to order (food)
de**a**l – de**a**luri n. hill
est n. east

fertil, fertilă, fertili, fertile adj. fertile
fier n. iron
fluviu – fluvii n. river
a forma vb. to form
geografie – geografii f. geography
gust – gusturi n. taste
icre negre f. pl. caviar
idee – idei f. idea
înălţime – înălţimi f. height
înăuntru adv. inside
a se învecina (cu) vb. to be bordered (by)
lac – lacuri n. lake
lăţime – lăţimi f. width
lemn – lemne n. wood, piece of wood
lungime – lungimi f. length
mijloc – mijloace n. middle, means
mititei m. pl. grilled rolled minced meat
morun – moruni m. sturgeon
muşchi – muşchi m. sirloin steak
natural, naturală, naturali, naturale adj. natural
nord n. north
pădure – păduri f. forest
persoană – persoane f. person
petrol n. oil
pod – poduri n. bridge, loft
populaţie – populaţii f. population
primul, prima, primii, primele ord. num. first
răsărit n. east
regiune – regiuni f. region
resursă – resurse f. resource
a rezerva vb. to reserve
rîu – rîuri n. river
roşie – roşii f. tomato
scump, scumpă, scumpi, scumpe adj. expensive, affectionate
a servi vb. to be served with, to serve
situat, situată, situaţi, situate past part. situated
sud n. south
suprafaţă – suprafeţe f. surface
şampanie – şampanii f. champagne

şes – ş**e**suri n. plain
terit**o**riu – terit**o**rii n. territory
a urm**a** vb. to follow
vest n. west
v**i**e – vii f. vineyard
v**î**rf – v**î**rfuri n. peak

Phrases

zi de n**a**ştere	birthday
de z**i**ua ei	on her birthday
am chef să	I feel like
la grăt**a**r	grilled
d**a**că se po**a**te	if it is possible
a f**a**ce pl**a**ta	to pay the bill
kilom**e**tri pătr**a**ţi	square kilometres
a ave**a** o lung**i**me de 3 m**e**tri	to be 3 metres long
a ave**a** o lăţ**i**me de 3 m**e**tri	to be 3 metres wide
a ave**a** o înălţ**i**me de 3 m**e**tri	to be 3 metres high
a ave**a** o adînc**i**me de 3 m**e**tri	to be 3 metres deep

2 GRAMMAR

A. Verbs

The Conditional Mood

1 The Present Conditional

The present conditional corresponding to English 'should' or 'would', is formed by using the following auxiliary forms plus the infinitive without *a*:

aş	am
ai	aţi
ar	ar

Thus the present conditional of *a pleca* is:

aş plec**a**	I would/should leave	am plec**a**

ai pleca	aţi pleca
ar pleca	ar pleca

The conditional mood is most commonly used in Romanian in sentences which contain a clause introduced by the conjunction *dacă* 'if' (note that in such sentences in English the past tense is generally used in the clause introduced by 'if'):

dacă am avea bani am merge la mare	if we had enough money we would go to the seaside
ei ar vizita oraşul dacă ar avea timp	they would visit the town if they had time

The same forms of the accusative and dative pronouns are used with verbs in the conditional as with verbs in the compound perfect:

i-am trimite cartea dacă am putea s-o găsim	we would send him the book if we could find it
dacă el ar vinde maşina ţi-aş cumpăra-o	if he would sell the car I would buy it for you
ar fi mai bine dacă nu s-ar duce acolo	it would be better if he didn't go there

Note that the interrogative *ce* is linked to the auxiliary by a hyphen:

ce-ar zice Radu dacă ne-ar vedea?	what would Radu say if he saw us?

2 The Past Conditional

The past conditional, corresponding to English 'should have', 'would have', is formed by using the present conditional of *a fi* with the past participle of the requisite verb. Thus the past conditional of *a pleca* is:

aş fi plecat	I would/should have left	am fi plecat
ai fi plecat		aţi fi plecat
ar fi plecat		ar fi plecat

that of *a fi* is:

aş fi fost	I would/should have been	am fi fost
ai fi fost		aţi fi fost
ar fi fost		ar fi fost

Examples:

dacă am fi avut bani am fi mers la mare	if we had had enough money we would have gone to the seaside
ei ar fi vizitat orașul dacă ar fi avut timp	they would have visited the town if they had had time
i-am fi trimis cartea dacă am fi putut s-o găsim	we would have sent him the book if we could have found it
dacă el ar fi vîndut mașina ți-aș fi cumpărat-o	if he had sold the car I would have bought it for you
ar fi fost mai bine dacă nu s-ar fi dus acolo	it would have been better if he hadn't gone there

In colloquial speech the past conditional is often replaced by the imperfect tense:

era mai bine dacă nu se ducea acolo	it would have been better if he hadn't gone there
dacă el vindea mașina ți-o cumpăram	if he had sold the car I would have bought it for you
îi trimiteam cartea dacă puteam s-o găsim	we would have sent him the book if we could have found it

Beware of always translating English 'would' in reported speech by the conditional. Remember the sequence of tenses in Romanian where the original tense of an utterance is used:

	Nicu a spus că va veni	Nick said that he would come
cf.	Nicu a spus că ar fi venit dacă ar fi știut	Nick said that he would have come if he had known

B Superlative Adjectives and Adverbs

To form the superlative degree of adverbs the adverbial phrase *cel mai* is used:

cel mai prost	worst
cel mai mult	most of all,
cel mai bine	best
cel mai repede	the fastest

Examples

ea vorbeşte englezeşte cel mai prost	she speaks English worst
această companie plăteşte cel mai bine	this company pays best
acest costum îmi place cel mai mult	I like this suit most of all

For the superlative degree of adjectives *cel* declines as follows (the adjective *bun* being used as an example)

m.

	s.	pl.
N/A	cel mai bun	cei mai buni
G/D	celui mai bun	celor mai buni

f.

	s.	pl.
N/A	cea mai bună	cele mai bune
G/D	celei mai bune	celor mai bune

n.

	s.	pl.
N/A	cel mai bun	cele mai bune
G/D	celui mai bun	celor mai bune

Examples

Londra este cel mai mare oraş din Europa	London is the biggest city in Europe
cofetăria aceasta are cele mai bune prăjituri din Bucureşti	this patisserie has the best cakes in Bucharest
ei sînt cei mai bogaţi oameni din acest cartier	they are the richest people in this district
aici locuieşte fratele celui mai bun prieten de-al meu	the brother of my best friend lives here

The superlative adjective may also follow the noun, in which case the noun has the definite article:

azi am mîncat prăjiturile cele mai bune din viaţa mea	today I ate the best cakes in my life

C. The Numeral *amîndoi* 'both'

The numeral *amîndoi* m., *amîndouă* f./n. is followed by the noun with the definite article:

amîndoi copiii	both children
amîndouă fetele	both girls

It may also be used as a pronoun:

amîndoi au vrut să facă plata	both wanted to pay

D. Names of Countries (note that the final group *-ia* in these names is pronounced /iya/)

Albania	Albania
Anglia	England
Argentina	Argentina
Australia /a-u-stra-li-ya/	Australia
Austria /a-u-stri-ya/	Austria
Belgia	Belgium
Brazilia	Brazil
Bulgaria	Bulgaria
Canada	Canada
Cehoslovacia	Czechoslovakia
China	China
Danemarca	Denmark
Egipt	Egypt
Elveţia	Switzerland
Finlanda	Finland
Franţa	France
Republica Federală Germania (R.F.G.)	lit. The Federal Republic (of) Germany, West Germany
Republica Democrată Germană (R.D.G.)	lit. The German Democratic Republic, East Germany
Grecia	Greece
India	India
Iran	Iran
Irlanda	Ireland
Islanda	Iceland
Italia	Italy

Iugoslavia	Yugoslavia
Izrael	Israel
Japonia	Japan
Marea Britanie	Great Britain
Mexic	Mexico
Noua Zelandă	New Zealand
Norvegia	Norway
Olanda	Holland
Pakistan	Pakistan
Polonia	Poland
Portugalia	Portugal
Regatul Unit al Marii Britanii şi Irlandei de Nord	The United Kingdom of Great Britain and Northern Ireland
România	Romania
Scoţia	Scotland
Spania	Spain
Statele Unite ale Americii (S.U.A.)	U.S.A.
Suedia	Sweden
Turcia	Turkey
Ţara Galilor	Wales
Ungaria	Hungary
Uniunea Sovietică	Soviet Union

In colloquial speech *Anglia* is used to denote Great Britain while the form *Regatul Unit* is used only in official circles.

E. Miscellaneous Names

Africa	Africa
Africa de Sud	South Africa
America	America
America de Sud	South America
Asia	Asia
Europa /e-u-ro-pa/	Europe
Orientul Apropiat	The Middle East
Piaţa Comună	The Common Market
Pactul de la Varşovia	The Warsaw Pact
Organizaţia Naţiunilor Unite	The United Nations

F. Rivers

D**u**nărea	the Danube
M**u**reşul	the Mureş
N**i**strul	the Dniester
Oltul	the Olt
Pr**a**hova	the Prahova
Pr**u**tul	the Prut
R**i**nul	the Rhine
Sir**e**tul	the Siret
Tam**i**sa	the Thames

G. Towns

Braş**o**v	Braşov
Bucur**e**şti	Bucharest
Cluj	Cluj
Crai**o**va	Craiova
Iaşi	Jassy
L**o**ndra	London
M**o**scova	Moscow
Par**i**s	Paris
R**o**ma	Rome

H. Regions

Ban**a**tul	the Banat
Mold**o**va	Moldavia
Munt**e**nia	Muntenia
Olt**e**nia	Oltenia
Ţ**a**ra Român**ea**scă	Wallachia
Transilv**a**nia	Transylvania
Arde**a**lul	Transylvania
m**u**nţii Carp**a**ţi	the Carpathian mountains

I. Points of the Compass

n**o**rdul	the north
s**u**dul	the south

estul	the east
vestul	the west
nord-estul	the north-east
sud-vestul	the south-west
la nord	to the north
în nord-vest	in the north-west
în sud-estul Angliei	in the south-east of England
la nord de Londra	to the north of London

Examples

lacul Snagov este la nord de Bucureşti	lake Snagov is to the north of Bucharest
mănăstirile pictate sînt în nordul Moldovei	the painted monasteries are in northern Moldavia

Remember that *în* becomes *din* and *la* becomes *de la* in a hidden relative clause:

pădurea de la nord de Bucureşti se numeşte pădurea Băneasa	the forest (which is) to the north of Bucharest is called the Băneasa forest
bisericile de lemn din nordul Transilvaniei sînt foarte vechi	the wooden churches in northern Transylvania are very old

J. Geographical names in *-a* are feminine, others are masculine, and all are declinable:

	m.
N/A	Bucureşti(ul)
G/D	Bucureştiului
N/A	Mureş(ul)
G/D	Mureşului
N/A	Izrael(ul)
G/D	Izraelului

	f.
N/A	Londra
G/D	Londrei

N/A	Dunăre(a)
G/D	Dunării

N/A	România
G/D	României

When a geographical name that is masculine is the subject of a clause, then it must carry the definite article, except when it stands in apposition:

Bucureştiul este un oraş frumos	Bucharest is a fine city
or	
oraşul Bucureşti este frumos	Bucharest is a fine city
Mureşul este plin de peşte	the Mureş is full of fish
or	
rîul Mureş este plin de peşte	the Mureş is full of fish

Feminine names always carry the definite article:

Londra este capitala Angliei	London is the capital of England
or	
oraşul Londra este capitala Angliei	London is the capital of England
Dunărea trece prin România	the Danube passes through Romania
or	
fluviul Dunărea trece prin România	the river Danube passes through Romania

Following a preposition the definite article is omitted from masculine names and from the feminine *Dunărea* unless they are qualified:

la Giurgiu este un pod peste Dunăre	at Giurgiu there is a bridge over the Danube
plecăm în Izrael	we are leaving for Israel

Other feminine nouns remain unchanged:

ei merg des în România	they frequently go to Romania
el locuieşte la Londra	he lives in London

Note that the noun *fluviu* is used to denote a large river that flows into the sea, and *rîu* to denote any other river:

fluviul Dunărea trece prin Austria	the river Danube passes through Austria
rîul Olt are o lungime de şase sute de kilometri	the river Olt is six hundred kilometres long

3 CONVERSATION

Se apropie ziua de naştere a Anei. Mama ei, doamna Predescu, o întreabă pe Ana ce-ar vrea să facă de ziua ei:

D-na P.: Ce-ai vrea să faci de ziua ta?
A: Mi-ar place să mergem cu toţii la un restaurant.
D-na P.: Ce idee bună! Dacă e vreme frumoasă am putea lua masa în grădina restaurantului. Ar fi mult mai plăcut decît înăuntru.
A: La restaurantul de lîngă lac au mititei foarte buni. Dacă am merge acolo am putea servi o masă bună şi am avea şi o priyelişte atrăgătoare. Am chef să mănînc nişte icre negre, dacă găsim, şi un morun la grătar cu salată verde.
D-na P.: Ai gusturi scumpe. Mie mi-ar ajunge un muşchi de porc la grătar şi o salată de roşii cu castraveţi. Şi fiindcă e ziua ta o să bem o sticlă cu şampanie.
A: Hai să vorbim şi cu tata, pentru că el o să plătească masa.
D-na P.: Şi să şi rezervăm o masă pentru marţi seară.
A: Dacă se poate, aş vrea să-l invităm şi pe George. El nu cunoaşte multe mîncăruri româneşti.
D-na P.: Foarte bine. Atunci să rezervăm o masă pentru cinci persoane.

4 TEXT

Nicu i-a adus lui George o carte de geografie şi i-a spus că în ea va găsi tot ce-l interesează despre România. George i-a mulţumit lui Nicu, a deschis cartea, şi a citit primul capitol:

România este situată în sud-estul Europei. Are o suprafaţă de 237.500 de kilometri pătraţi. Se învecinează la nord şi est cu Uniunea Sovietică, la sud cu Bulgaria, la vest cu Ungaria, şi la sud-vest cu Iugoslavia, iar Marea Neagră formează graniţa de sud-est.

Pămîntul României este aşezat ca un amfiteatru: în mijloc sînt munţii Carpaţi, apoi este o regiune de dealuri, urmată de o regiune de şesuri. Munţii României sînt Carpaţii. Cele mai înalte vîrfuri sînt Moldoveanu, cu o înălţime de 2.544 de metri, şi Negoiu, cu o înălţime de 2.535 de metri. Cel mai lung rîu este fluviul Dunărea care, pe teritoriul României, are o lungime de 1.075 de kilometri.

Populaţia României este de douăzeci şi unu de milioane de locuitori. Oraşele cele mai mari sînt Bucureşti, cu o populaţie de aproape două milioane, Constanţa şi Iaşi.

România are bogate resurse naturale: petrol, cărbune, fier şi aur. Munţii sînt bogaţi în păduri, regiunile de dealuri sînt acoperite cu vii, şi cîmpiile sînt foarte fertile.

5 EXERCISES

A. Translate the following:

1. If the weather had been fine they would have gone to the restaurant.
2. If I had time I would go to the cinema.
3. You (s.) would have given me the money if you had seen me.
4. He would have reached the airport on time if he hadn't waited for her.
5. She said that she would have come if she had known.

Compare your answers with this key

1. Dacă vremea ar fi fost frumoasă ei ar fi mers la restaurant.
2. Dacă aş avea timp m-aş duce la cinema.
3. Mi-ai fi dat banii dacă m-ai fi văzut.
4. El ar fi ajuns la timp la aeroport dacă n-ar fi aşteptat-o.
5. Ea a spus că ar fi venit dacă ar fi ştiut.

B. Translate

George and Nick decided to go to a restaurant on Thursday evening because it was George's birthday. George didn't know many Romanian dishes and so he asked Nick to choose the food. Nick ordered two glasses of tsuica, two sirloin steaks, some mititei, two tomato salads, a bottle of white wine, and two cakes. Both wanted to pay the bill but Nick told George that because it was George's birthday he, Nick, would pay. George thanked Nick for the meal and asked him when his birthday was so that he could invite him to a restaurant on that day.

C. Compare your text with this key; then read the key aloud

George şi Nicu s-au hotărît să meargă joi seară la un restaurant fiindcă era ziua lui George. George nu cunoştea multe mîncăruri româneşti şi deci l-a rugat pe Nicu să aleagă mîncarea. Nicu a comandat două pahare cu ţuică, doi muşchi de vacă, nişte mititei, două salate de roşii, o sticlă cu vin alb, şi două prăjituri. Amîndoi au vrut să facă plata dar Nicu i-a spus lui George că pentru că este ziua lui George, el, Nicu, va plăti. George i-a mulţumit lui Nicu pentru masă şi l-a întrebat cînd este ziua lui ca să-l poată invita în ziua aceea la un restaurant.

Note the difference between the verbs a întreba, a ruga and a cere. a întreba means 'to ask a question', a ruga 'to ask (someone to do something)', while a cere means 'to ask (someone for something)'.

LESSON 21

1 VOCABULARY

anivers**a**re – anivers**ă**ri f. anniversary
aspirat**o**r – aspirat**oa**re n. vacuum cleaner
a**ş**a că conj. so that

atît(a), atîta, atîţia, atîtea ind. pron. so much, so many
bucătăreasă – bucătărese f. cook
caz – cazuri n. case
căsătorie – căsătorii f. marriage
ceaţă – ceţuri f. fog, mist
celălalt, cealaltă, ceilalţi, celelalte adj., pron. the other
congres – congrese n. congress
cratiţă – cratiţe f. saucepan
a creşte vb. to grow
cuminte, cuminte, cuminţi, cuminţi adj. well-behaved
curaj n. courage
cusur – cusururi n. defect
a găti vb. to cook
gros, groasă, groşi, groase adj. thick
grup – grupuri n. group
inutil, inutilă, inutili, inutile adj. useless
a împacheta vb. to pack
întîi adv. first
local, locală, locali, locale adj. local
mărime – mărimi f. size
mondial, mondială, mondiali, mondiale adj. world
a muri vb. to die
a muta vb. to move
obraznic, obraznică, obraznici, obraznice adj. cheeky
orice ind. adj. any
oricum adv. any, anyhow
oriunde adv. anywhere, wherever
palton – paltoane n. heavy overcoat
parte – părţi f. part
partid – partide n. political party
pronostic – pronosticuri n. weather forecast
pulover – pulovere n. pullover
răcoare f. coolness
recepţie – recepţii f. reception
a rîde vb. to laugh
sacoşă – sacoşe f. (grip) bag
săpun – săpunuri n. soap
a sparge vb. to break
a strica vb. to damage

a şterge vb. to wipe
a ţine vb. to hold, to keep
a ţine minte vb. to remember
uneori adv. sometimes
variabil, variabilă, variabili, variabile adj. changeable

Phrases

în primul rînd	in the first place
a pune la fiert	to boil
în orice caz	in any case
în cursul zilei	during the day
e răcoare	it is cool
mai întîi	first

2 GRAMMAR

A. The Pluperfect Tense

This tense is generally formed by taking the third person singular of the past historic and adding the endings:

-sem	-serăm
-seşi	-serăţi
-se	-seră

In the case of first conjugation verbs however the above endings are added to a stem that is the same as the infinitive. Thus the pluperfect of *a pleca* is

plecasem	I had left	plecaserăm
plecaseşi		plecaserăţi
plecase		plecaseră

that of *a face*

făcusem	I had done	făcuserăm
făcuseşi		făcuserăţi
făcuse		făcuseră

that of *a scrie*

scris**e**sem	I had written	scris**e**serăm
scris**e**seşi		scris**e**serăţi
scris**e**se		scris**e**seră

Note the following:

a avea has two alternative forms

avus**e**sem	I had had	avus**e**serăm
avus**e**seşi		avus**e**serăţi
avus**e**se		avus**e**seră

av**u**sem	I had had	av**u**serăm
av**u**seşi		av**u**serăţi
av**u**se		av**u**seră

a fi

fus**e**sem	I had been	fus**e**serăm
fus**e**seşi		fus**e**serăţi
fus**e**se		fus**e**seră

a da

băd**u**sem	I had given	dăd**u**serăm
dăd**u**seşi		dăd**u**serăţi
dăd**u**se		dăd**u**seră

The pluperfect is often used in Romanian where we would use it in English:

cînd eu am ven**i**t ei plec**a**seră dej**a**	when I came they had already left

However, following *după ce* 'after' the perfect is used:

d**u**pă ce am termin**a**t m**a**sa ne-am uit**a**t la televiz**o**r	after we had finished the meal we watched the television

Remember also that in indirect speech the perfect is generally used instead of the pluperfect owing to the sequence of tenses in Romanian:

George a spus că n-a văzut-o pe Ana la aeroport	George said that he hadn't seen Ann at the airport

Note also that with such adverbs as *de mult* and *de puţin* Romanian uses the imperfect where in English the pluperfect would be used:

el ştia de mult asta	he had known that for a long time

B. Sequence of Tenses

Remember the sequence of tenses in Romanian (Lesson 11C). The original tense of an utterance or statement is retained in reported speech. Compare the tenses in the following examples with their English equivalents:

eu am citit că el a murit	I read that he had died
el a spus că şi-a pierdut portofelul	he said that he had lost his wallet
ei au spus că vor merge	they said that they would go
ea a răspuns că este bolnavă	she replied that she was ill

C. The Adjective and Pronoun ***celălalt*** **'the other'**

m.

	s.	pl.
N/A	celălalt	ceilalţi
G/D	celuilalt	celorlalţi

f.

	s.	pl.
N/A	cealaltă	celelalte
G/D	celeilalte	celorlalte

n.

	s.	pl.
N/A	celălalt	celelalte
G/D	celuilalt	celorlalte

Examples

acest băiat este cuminte dar celălalt este obraznic	this boy is well-behaved but the other one is cheeky
ceilalţi ingineri sînt la o şedinţă	the other engineers are at a meeting

Do not confuse *celălalt* with *alt* 'other', 'another':

alţi ingineri au venit să vadă podul	other engineers have come to see the bridge

D. Ordinal Numbers

The ordinal numbers 'first', 'second' etc. decline for number, gender and case. Their forms and declension are as follows (normal abbreviated forms in brackets):

	m./n.	f.
1st	primul, intîiul (1-ul)	prima, întîia (1-a)
2nd	al doilea (al 2-lea)	a doua (a 2-a)
3rd	al treilea (al 3-lea)	a treia (a 3-a)
4th	al patrulea (al 4-lea)	a patra (a 4-a)
5th	al cincilea (al 5-lea)	a cincea (a 5-a)
6th	al şaselea (al 6-lea)	a şasea (a 6-a)
7th	al şaptelea (al 7-lea)	a şaptea (a 7-a)
8th	al optulea (al 8-lea)	a opta (a 8-a)
9th	al nouălea (al 9-lea)	a noua (a 9-a)
10th	al zecelea (al 10-lea)	a zecea (a 10-a)

m.

	s.	pl.
N/A	primul	primii
G/D	primului	primilor

f.

	s.	pl.
N/A	prima	primele
G/D	primei	primelor

	n.	
	s.	pl.
N/A	primul	primele
G/D	primului	primelor

The declension of all other ordinals is formed with the aid of *cel*:

	m./n.
N/A	(cel de-) al doilea
G/D	celui de-al doilea

	f.
N/A	(cea de-) a doua
G/D	celei de-a doua

primul, *prima* precede a noun and are used more frequently than *întîiul, întîia* which often appear without a noun. The other ordinals may precede or follow a noun, or may be used on their own. When the ordinal precedes, the noun is in its indefinite form, but when it follows, the noun requires the definite article.

Examples

primii ani ai războiului	the first years of the war
primele trei fete	the first three girls
sfîrşitul primei părţi	the end of the first part
sfîrşitul celui de-al doilea război mondial	the end of the Second World War
sfîrşitul celei de-a doua părţi	the end of the second part
e primul din bloc să cumpere o maşină	he is the first in the block of flats to buy a car
al doilea grup grupul al doilea	the second group
a doua vizită vizita a doua	the second visit

The masculine/neuter forms of the remaining ordinals are formed by adding the suffix *-lea* to the cardinal number and by preceding it by *al*:

al **u**nsprezecelea	(al 11-lea) eleventh
al **o**ptsprezecelea	(al 18-lea) eighteenth
al două**z**e**c**ilea	(al 20-lea) twentieth
al treizeci şi **u**nulea	(al 31-lea) thirty-first

The suffix *-a* is added to create the feminine forms:

a **u**nsprezecea	(a 11-a)
a **o**ptsprezecea	(a 18-a)
a două**z**ecea	(a 20-a)
a treizeci şi **u**na	(a 31-a)

Examples

a treizeci şi c**i**ncea aniversare a căsător**i**ei lor	the 35th anniversary of their marriage
al **u**nsprezecelea congr**e**s al part**i**dului	the 11th party congress

Note that only the last part of an ordinal has the suffix:

al o s**u**tălea, a o s**u**ta	100th
al două s**u**telea, a două s**u**ta	200th
al o mi**i**lea, a o m**i**a	1000th
al două mi**i**lea, a două m**i**a	2000th
al mili**o**nulea, a milio**a**na	1,000,000th
al o sută **u**nulea, a o sută **u**na	101st
al trei sute d**o**ilea, a trei sute d**o**ua	302nd

Note these other examples:

Const**a**nţa **e**ste al d**o**ilea or**a**ş ca măr**i**me al Român**i**ei	Constanţa is the second largest town in Romania
R**i**nul **e**ste al tr**e**ilea fl**u**viu ca lung**i**me al Eur**o**pei	the Rhine is the third longest river in Europe

In the above examples *ca* means 'in respect of'.

Compare the following:

od**a**tă	once

but	de d**o**uă ori	twice
	de trei ori	three times
	de p**a**tru ori	four times
	pr**i**ma o**a**ră	for the first time
	a d**o**ua o**a**ră	for the second time
	a tr**e**ia o**a**ră	for the third time
	de cîte ori?	how many times?

E. Adverbs

Note the pronunciation of such adverbs as

oric**u**m	/orĭkum/	anyhow
ori**u**nde	/orĭunde/	anywhere

and of the indefinite adjective and pronoun

oric**e**	/orĭče/	any

■ 3 CONVERSATION

Mihai: Ţii minte, Ana, cînd mama şi tata au plecat în vacanţă şi ne-au lăsat prima oară singuri acasă?

Ana: Da, cît am rîs în săptămîna aceea! Eu cumpărasem nişte orez şi pusesem tot pachetul la fiert într-o cratiţă. Tot creştea şi creştea şi am mai mutat din el în alte trei cratiţe.

M: Aşa e, nu ştiam ce să facem cu atîta orez. Am mîncat de două ori pe zi timp de şase zile numai orez. Şi tu care spuseseşi că eşti o bucătăreasă bună.

A: De atunci am mai învăţat să gătesc. În primul rînd nu mai fac orez. Dar nici tu n-ai fost fără cusur. Întîi ai stricat aspiratorul, apoi ai spart cîteva pahare cînd m-ai ajutat să le ştergem, şi pe urmă ai şi pierdut cheia de la uşă.

M: Mama şi tata n-au mai avut mult timp curaj să ne mai lase singuri acasă.

■ 4 CONVERSATION

D-na Predescu: Mîine plecăm la munte în vacanţă şi eu n-am făcut încă bagajele. Nici nu ştiu ce să iau cu mine, haine groase sau subţiri.

Dl. Predescu:	De obicei la munte e răcoare seara, aşa că pune paltoanele în geamantan în orice caz. Dacă vrei, pot să mă uit în ziar la pronosticul vremii.
D-na Predescu:	Ce idee bună! Aşa n-o să iau prea multe lucruri inutile.
Dl. Predescu:	Uite, am găsit ziarul. În următoarele trei zile vremea la munte va fi variabilă: dimineaţa şi seara ceaţă, senin în cursul zilei şi uneori ploi locale.
D-na Predescu:	Deci pot împacheta totul de la costume de baie la pulovere groase.
Dl. Predescu:	Vrei să telefonez la hotel să întreb la recepţie cum e vremea acolo?
D-na Predescu:	Nu, mulţumesc. Tot trebuie să fim pregătiţi şi pentru vreme bună şi pentru vreme rea. Ajută-mă, te rog, să închid primul geamantan. Celelalte două nu sînt încă gata. Şi să luăm şi o sacoşă cu prosoapele, săpunul, şi periile de dinţi.
Dl. Predescu:	Şi eu care credeam că ne ajunge un geamantan. Bine că mergem cu maşina şi nu cu trenul. Dar ce-ai pus în celelalte geamantane?
D-na Predescu:	Hainele mele.

5 EXERCISES

A. Put the verbs in the following sentences into the pluperfect:

1. Erai cam bolnav.
2. Eu am cumpărat două bilete.
3. A început să ningă.
4. Ne-am îmbrăcat repede.
5. Ei pleacă la munte.
6. Eu n-am auzit nimic.
7. El cobora din autobuz.
8. Nu s-a întors încă.
9. Eu l-am văzut în piaţă.
10. M-a invitat la ea.

Compare your answers with this key

1. fuseseşi

2. cumpărasem
3. începuse
4. ne îmbrăcaserăm
5. plecaseră
6. auzisem
7. coborîse
8. se întorsese
9. văzusem
10. invitase

B. Translate

Mr and Mrs Predescu had gone on holiday and had left Ann and Michael on their own. Ann had helped her mother to pack the suitcases and Michael had washed the car. After Mr and Mrs Predescu had left Ann and Michael began to cook. Ann had bought some rice and she put it in a saucepan to boil. However, she put too much rice in and it began to rise. Ann and Michael had to eat rice twice a day for seven days. Since then Michael has never eaten rice. Whenever their parents go on holiday Ann and Michael remember that rice and they laugh.

C. Compare your text with this key; then read the key aloud

Domnul şi doamna Predescu plecaseră în vacanţă şi-i lăsaseră pe Ana şi pe Mihai singuri. Ana o ajutase pe mama ei să împacheteze geamantanele iar Mihai spălase maşina. După ce domnul şi doamna Predescu au plecat, Ana şi Mihai au început să gătească. Ana cumpărase nişte orez şi l-a pus într-o cratiţă la fiert. A pus, însă, prea mult orez şi orezul a început să crească. Ana şi Mihai au trebuit să mănînce orez de două ori pe zi timp de şapte zile. De atunci Mihai n-a mai mîncat orez. Ori de cîte ori părinţii lor pleacă în vacanţă Ana şi Mihai îşi aduc aminte de orezul acela şi rîd.

LESSON 22

1 VOCABULARY

alaltăieri adv. the day before yesterday
benzină – benzine f. petrol
bon – bonuri n. ticket, bill
chioşc – chioşcuri n. kiosk
contra prep. against
cumva adv. by any chance
a-şi da seama vb. to realise
deasupra prep., adv. above
debit de tutun n. tobacconist's kiosk
a fuma vb. to smoke
împotriva prep. against
înaintea prep. in front of
înăuntrul prep. inside
în faţă adv. in front (of)
în jur adv. around
a se întîlni (cu) vb. to meet (with)
a mări vb. to increase
nuntă – nunţi f. wedding
a se opri vb. to stop
păr – peri m. hair
a recunoaşte vb. to recognise
a ridica vb. to lift up, to raise
salariu – salarii n. salary
a saluta vb. to greet
sănătos, sănătoasă, sănătoşi, sănătoase adj. healthy
a se scumpi vb. to become more expensive
a scurta vb. to shorten
a sfătui vb. to advise
sincer, sinceră, sinceri, sincere adj. sincere
situaţie – situaţii f. situation
spălat n. washing
teatru – teatre n. theatre
a transmite vb. to pass on
a se tunde vb. to have a haircut
tuns n. haircut

ţigară – ţigări f. cigarette
vizavi de prep. opposite

Phrases

sigur că da	certainly
a se spăla pe cap	to wash one's hair
se vede	it is obvious
destul de scurt	short enough, fairly short
a da cu briantină	to put on brilliantine
şi mai tare	even stronger
se zvoneşte că	it is rumoured that

2 GRAMMAR

A. Verbs

1. The Present Participle

This is formed by adding *-ind* to the root of infinitives ending in *-i*, -ia and -ie:

a vorbi	vorbind	speaking
a veni	venind	coming
a scrie	scriind	writing

All other infinitives add *-înd* to their root:

a pleca	plecînd	leaving
a lua	luînd	taking

In the case of reflexive verbs *-u* is added to *-ind* or *-înd* respectively:

a se apropia	apropiindu-se	approaching
a se spăla	spălîndu-se	washing

The present participle also ends in *-u* when used with a personal pronoun. The personal pronoun follows the participle:

luînd ziarul	taking the newspaper
luîndu-l	taking it

However, if the feminine pronoun *o* follows, a final *-u* is *not* added to the participle:

luînd sticla	taking the bottle
luînd-o	taking it

Note these other participles:

fiind	being
avînd	having
căzînd	falling
făcînd	doing
bătînd	beating
văzînd	seeing
dînd	giving
întorcîndu-se	returning

Present participles are not often used in colloquial speech. They may be met in a formal literary style:

citind scrisoarea, el şi-a dat seama ce prost a fost	reading the letter, he realised how foolish he had been

The negative of the present participle is formed by prefixing *ne*:

neavînd bani George n-a putut cumpăra cartea	as George didn't have any money he couldn't buy the book

2. *Uses of the Reflexive Forms*

We saw in Lesson 16A 3 that the reflexive forms of the verb are used in an impersonal construction which is often translated in English by a verb in the passive:

se pare că el a plecat	it seems that he has left
se vede că ea e bolnavă	it is obvious that she is ill
se spune că Roma este un oraş frumos	Rome is said to be a beautiful city
se zvoneşte că guvernul va mări salariile	it is rumoured that the government will raise salaries

When a verb that is normally transitive (i.e. a verb followed by a direct object) is used intransitively (i.e. without a direct object) it usually becomes reflexive:

eu am desch**i**s **u**şa	I opened the door

but

s-a desch**i**s **u**şa şi a intr**a**t R**a**du	the door opened and Radu entered
guv**e**rnul a scump**i**t benz**i**na	the government has put the price of petrol up

but

s-a scump**i**t benz**i**na	the price of petrol has gone up

A reflexive construction is preferred in Romanian where in English a passive construction is used:

s-a transm**i**s mes**a**jul mes**a**jul s-a transm**i**s	the message was passed on
s-au trim**i**s invit**a**ţiile invit**a**ţiile s-au trim**i**s	the invitations have been sent

The reflexive form is also used to denote a reciprocal action, that is one performed simultaneously by two or more subjects who are also the object of the verb:

ne-am întîln**i**t la g**a**ră	we met each other at the station
s-au văz**u**t la hot**e**l	they saw each other at the hotel
Andr**e**i şi Nicol**a**e s-au salut**a**t pe str**a**dă	Andrew and Nicholas greeted each other in the street

The second person of the verb may be used to express a vague subject:

nu vezi m**u**lte tramv**a**i în **A**nglia	you don't see many trams in Britain
poţi cumpăr**a** ţig**ă**ri ori**u**nde	you can buy cigarettes anywhere

B. Prepositions

A number of prepositions and prepositional phrases govern the genitive case. Such prepositions and phrases are regarded as feminine nouns if they end in *-a*, otherwise they are regarded as neuters:

contra englezilor	against the English
deasupra casei	above the house
împotriva Franţei	against France
înaintea hotelului	in front of the hotel
în dosul clădirii	behind, at the back of the building
în dreapta cantinei	to the right of the canteen
în faţa uşii	in front of the door
în fundul camerei	at the back of the room
în jurul restaurantului	around the restaurant
în spatele vilei	behind, at the back of the villa
în stînga casei	to the left of the house
în urma războiului	after the war

When used with these prepositions, the first and second persons are expressed by the possessive adjective which must agree, while the third person is expressed by the personal pronoun:

deasupra mea	above me
în dreapta noastră	on our right
în faţa ta	in front of you
în spatele lor	behind them
în faţa lui	in front of him

C. Clauses with *să*

As we have already seen, clauses introduced by *să* are very common in Romanian. They are used following a verb of command, exhortation or suggestion:

i-am sfătuit pe turişti să plece cu avionul	I advised the tourists to leave by air
le-am spus să nu mai aştepte autobuzul	I told them not to wait for the bus any longer

Remember to distinguish between *a spune* as a verb of command and *a spune* as a verb introducing an indirect statement:

le-am spus că autob**u**zul nu va ven**i**	I told them that the bus would not come

An adverb may introduce a *să*-clause:

le-e greu să v**i**nă la noi	it is difficult for them to come to us

or an ordinal number:

N**i**cu a fost pr**i**mul să rid**i**ce probl**e**ma	Nick was the first to raise the problem

să is also frequently used with interrogative pronouns and adverbs:

cum să vă aj**u**t?	how shall I help you?
cînd să vin?	when shall I come?
unde să-l caut?	where shall I look for him?
ce să fac?	what shall I do?

the last phrase is often heard in conversation. It is equivalent to 'what can be done?', 'that's life' cf. French c'est la vie.

Prepositions such as *fără*, *înainte* and *în loc* may also be followed by *să* in colloquial speech:

f**ă**ră să ştim	without our knowing
în**a**inte să plec**ă**m	before we leave
în loc să mă aşt**e**pte	instead of his waiting for me

When used in a literary context *înainte* and *în loc* are followed by *de* and the infinitive:

în**a**inte de a plec**a**	before leaving
în loc de a mă aştept**a**	instead of waiting for me

ca să 'in order to' announces a clause of purpose:

ca să f**i**u s**i**ncer, nu-mi pl**a**ce r**o**chia **a**sta	to tell the truth, I don't like this dress
George s-a dus în n**o**rdul Mold**o**vei ca să v**a**dă mănăst**i**rile	George went to northern Moldavia to see the monasteries

The subject of the clause of purpose may either be sandwiched between *ca* and *să* or it may follow the verb in the *să*-clause:

am plecat ca să nu mă găsească el acolo	I left so that he should not find me there

or

am plecat ca el să nu mă găsească acolo

We may also say:

aştept să plece el	I am waiting for him to leave

or

aştept ca el să plece

3 CONVERSATION

George se duce la frizer:

G: Puteţi să mă tundeţi, vă rog?
F: Sigur că da, cum aţi vrea să vă tund?
G: Aş vrea să mă tundeţi mai scurt dar nu prea scurt.
F: Nu vreţi mai întîi să vă spălăm părul?
G: Da, sigur. Nu m-am spălat pe cap de peste o săptămînă. Nu se vede?
F: Încă nu. În orice caz se spune că nu este sănătos să vă spălaţi pe cap prea des. Este destul de scurt acuma?
G: Nu. Puteţi să-l mai scurtaţi la spate?
F: Da, imediat. Acum cred că ajunge. Să vă dau cu briantină?
G: Nu mulţumesc. E foarte bine aşa. Vreţi să-mi faceţi bonul, vă rog.
F: Da. Spălatul vă costă cinci lei şi tunsul zece.
G: S-a scumpit puţin de acum patru luni cînd am fost aici ultima oară. Uitaţi banii. Mulţumesc, la revedere.

Pe stradă:

G: Bună ziua, Mihai. Ce faci? Nu mă mai recunoşti?
M: Tu eşti George! Nu te-am recunoscut aşa tuns şi pieptănat. Mergi cumva la o nuntă?
G: Nu, din păcate numai la facultate. Mă bucur că arăt aşa bine. O să mă tund mai des în cazul ăsta. La revedere.

4 TEXT

Într-o dimineaţă George a ieşit în oraş să cumpere nişte ţigări şi un ziar. S-a oprit întîi în faţa unui chioşc de unde a cumpărat ziarul 'România liberă'. Văzînd acolo şi nişte cărţi poştale, l-a rugat pe vînzător să-i le arate. George a ales trei din ele şi le-a plătit. Apoi a căutat un debit de tutun. S-a plimbat pe Calea Victoriei şi vizavi de restaurantul Capşa a găsit un debit. A cerut două pachete de ţigări Amiral şi o cutie de chibrituri. Vînzătoarea, dîndu-şi seama că George e străin, l-a întrebat:

– Văd că fumaţi ţigări româneşti. Cum vă plac?
– Nu sînt rele. Sînt mai tari, însă, decît cele englezeşti.
– Bine că nu fumaţi ţigări Mărăşeşti care sînt şi mai tari.
– Le-am încercat odată şi am crezut că mor.

Rîzînd, vînzătoarea i-a dat lui George ţigările şi chibriturile.

Notes: Calea Victoriei is one of the principal streets of Bucharest. Capşa is a celebrated restaurant. Amiral and Mărăşeşti are brands of cigarettes.

5 EXERCISES

A. Translate the following:

1. I advised George to have a haircut.
2. Michael waited for Ann in front of the station.
3. There was a garden at the back of the house.
4. On returning home Nick turned on the television.
5. Rumour has it that the price of petrol has gone up.
6. I bought a packet of cigarettes the day before yesterday.
7. You said that you would wait in front of the theatre.
8. You told us to wait inside the restaurant.
9. George and Michael met at the barber's.
10. I would have gone to their wedding had they invited me.

Compare your answers with this key

1. L-am sfătuit pe George să se tundă.
2. Mihai a aşteptat-o pe Ana în faţa gării.
3. Era o grădină în spatele casei.
4. Întorcîndu-se acasă Nicu a deschis televizorul.

5. Se zvoneşte că s-a scumpit benzina.
6. Am cumpărat alaltăieri un pachet de ţigări.
7. Ai spus că o să aştepţi în faţa teatrului.
8. Ne-ai spus să aşteptăm înăuntrul restaurantului.
9. George şi Nicu s-au întîlnit la frizer.
10. M-aş fi dus la nunta lor dacă m-ar fi invitat.

B. Translate

One afternoon George decided to have a haircut. The barber asked him how he would like his haircut and George replied that he would like it cut short. The barber first washed his hair and then cut it. When he had finished he asked George if he would like him to put some brilliantine on his hair and George said no. He requested the barber to make out the bill and paid. Then he went to the university.

C. Compare your text with this key; then read the key aloud

Într-o după-amiază George s-a hotărît să se tundă. Frizerul l-a întrebat cum ar vrea să-l tundă şi George a răspuns că ar vrea să-l tundă mai scurt. Mai întîi frizerul i-a spălat părul şi pe urmă l-a tuns. După ce a terminat frizerul l-a întrebat pe George dacă vrea să-l dea cu briantină pe păr şi George a spus că nu. L-a rugat pe frizer să-i facă bonul şi a plătit. Apoi s-a dus la universitate.

LESSON 23

1 VOCABULARY

album – albume n. album, book of pictorial reproductions
anticariat – anticariate n. second-hand bookshop
apariţie – apariţii f. publication
a apărea vb. to appear
a aprecia vb. to appreciate

artizanat n. handicraft.
braţ – braţe n. arm
bulevard – bulevarde n. boulevard
ceaşcă – ceşti f. cup
ceramică f. pottery, earthenware
a chema vb. to summon, to call
covor – covoare n. carpet
deosebit, deosebită, deosebiţi, deosebite adj. different, special
diferit, diferită, diferiţi, diferite adj. various
a duce vb. to carry
ediţie – ediţii f. edition
epuizat, epuizată, epuizaţi, epuizate past part. out of stock, out of print
exemplar – exemplare n. copy
ghid – ghiduri n. guide book
ibric – ibrice n. pot, vessel
ie – ii f. embroidered peasant blouse
a interesa vb. to be of interest to
a interzice vb. to forbid
încît conj. that
literatură – literaturi f. literature
localitate – localităţi f. locality
mulţumit, mulţumită, mulţumiţi, mulţumite adj. satisfied
părere – păreri f. opinion
părinte – părinţi m. parent
pe lîngă prep. as well as
pepsi n. pepsi-cola
soră – surori f. sister
spital – spitale n. hospital
usturoi n. garlic

Phrases

după părerea mea	in my opinion
apoi s-o iei la dreapta	then turn to the right
nu-i aşa?	isn't that so?
de data aceasta	on this occasion
un covor oltenesc	an Oltenian carpet
un magazin de menaj	a hardware store

cafe**a** turce**a**scă	Turkish coffee
cum îl che**a**mă?	what is his name?
cum o che**a**mă?	what is her name?
sl**a**vă D**o**mnului!	thank heavens!
Do**a**mne aj**u**tă!	may the Lord help us!

2 GRAMMAR

A. Past Participles

Past participles, as we have already seen, are often used as adjectives and as such agree:

Rom**â**n**i**a **e**ste situ**a**tă în sud-**e**stul Eur**o**pei	Romania is situated in South-Eastern Europe

They may also be used as neuter nouns:

fum**a**tul interz**i**s	smoking prohibited
un tuns c**o**stă cinci lei	a haircut costs five lei

Past participles may be used with *de*; in such cases they correspond to an infinitive in English:

am m**u**lte l**u**cruri de făc**u**t	I have many things to do
el **a**re n**i**şte bani de schimb**a**t	he has some money to change

Note that the past participle is invariable when used in this way.

B. Prepositions

'Left' and 'right' can be expressed by various combinations involving the use of *pe*, *în*, *la* and *de* with *stînga* 'the left' and *dreapta* 'the right':

cînd aj**u**ngeţi la stop f**a**ceţi la dre**a**pta	when you reach the traffic lights turn to the right
în Rom**â**n**i**a circul**a**ţia **e**ste pe dre**a**pta	in Romania they drive (lit. the traffic is) on the right

în dreapta casei este o librărie	to the right of the house is a bookshop
dacă mergeţi spre parc, universitatea este pe stînga	if you go towards the park, the university is on the left
partidul comunist este un partid de stînga	the Communist party is a party of the left

Broadly speaking, if movement is involved *pe* is used, while *la* is commonly used with the verbs *a face* and *a întoarce*. *în* denotes a fixed position.

C. Further uses of *pe*

As well as being used before proper names, nouns denoting human beings, and before the stressed accusative pronouns, *pe* is also used with a number of other pronouns, in particular when they refer to persons. Some of these pronouns, such as *cine* and *care*, have been already introduced. Others include *acesta*, *altul*, *toţi* and *unii*:

i-am chemat pe toţi	I summoned all of them
l-am văzut pe acesta	I saw this one (person)
pe unul l-au dus la spital, pe altul la policlinică	one they took to the hospital, another to the clinic
le-ai găsit pe toate?	did you find all of them? (this could refer to either persons or things)

D. Further uses of *la*

With a small number of adjectives which do not use a genitive/dative form *la* is used to indicate the dative case:

la puţini copii le place să meargă la doctor	few children like going to the doctor
am trimis invitaţii la mulţi prieteni	I sent invitations to many friends
am dat un pahar cu şampanie la amîndouă fetele	I gave a glass of champagne to both girls

Although *mulţi* and *amîndoi* have genitive/dative forms (*multor* and *amînduror*) the constructions with *la* are preferred in colloquial speech.

la is also used to indicate the dative with numerals above *un(u)*:

au vîndut bilete la patru studenţi	they sold tickets to four students

E. Presumptive Statements

Such statements as 'I may/might come' are usually expressed in Romanian by the conditional mood of *a se putea* followed by the subjunctive:

s-ar putea să vină	he/she might come
s-ar putea ca Ion să plece mîine	John might leave tomorrow
s-ar putea să am banii	I may have the money

Past forms, corresponding to English 'he might have come', 'can he have come?' are often rendered by *o fi* plus the past participle of the requisite verb:

el o fi venit ieri	he might have come yesterday
o fi venit George ieri?	can George have come yesterday?

However, the same meaning can also be conveyed by using the adverb *oare* which is used in rhetorical questions:

oare a plecat trenul?	I wonder if the train has left?
să plecăm oare?	should we leave?

In some contexts *o fi* (singular) and *or fi* (plural) plus the present participle are used to render rhetorical questions:

mă întreb ce-o fi făcînd George?	I wonder what George can be doing?
mă întreb ce-or fi făcînd ei?	I wonder what they can be doing?

F. Result Clauses

Such clauses are formed by using *aşa de* and *atît de* with the conjunction *încît*:

George a plecat aşa de repede încît şi-a uitat portofelul acasă	George left so quickly that he forgot his wallet at home
am citit atît de mult încît mă dor ochii	I have read so much that my eyes hurt

The adverbs *atît* and *cît* may also be used in a variety of senses:

cu cît vorbea el mai repede cu atît înţelegeam eu mai puţin	the quicker he spoke the less I understood
pe cît era de frumoasă pe atît era de proastă	she was as silly as she was beautiful
după cîte ştiu ei sînt americani	as far as I know they are American

3 CONVERSATION

George: Nicule, spune-mi, te rog, unde este o librărie bună. Aş vrea să-mi cumpăr cîteva cărţi româneşti pe care să le iau în Anglia.

N: După părerea mea librăria Sadoveanu e cea mai bună. Trebuie, însă, să mergi cu un autobuz pînă la universitate şi apoi s-o iei la dreapta pe bulevard pînă ajungi la librărie. Cu cît te duci mai devreme cu atît e mai puţină lume şi vînzătoarele au mai mult timp să-ţi arate ce te interesează.

G: Atunci poate ar fi bine să plec chiar acum, nu-i aşa?

N: Sigur că da.

La librărie

Vînzătoarea: Ce vă pot arăta, domnule?

G: Aş vrea să cumpăr nişte cărţi româneşti. Arătaţi-mi, vă rog, ultimele apariţii.

V: Aici sînt ultimele romane contemporane.

G: Dar nu văd ultimul roman al lui Marin Preda.

V: Îmi pare rău dar este epuizat. Am vîndut ultimul exemplar săptămîna trecută. Noua ediţie apare iarna aceasta. Poate că îl găsiţi la un anticariat.

G: O să încerc. Vă mulţumesc.

4 TEXT

Înainte de a se întoarce în Anglia, George şi-a lăsat o zi liberă ca să cumpere cîteva lucruri româneşti pe care să le ia cu el. Mai întîi s-a dus la un magazin de artizanat de unde a luat un covor oltenesc şi nişte linguri de lemn. Tot de acolo a cumpărat nişte ceşti de ceramică pentru părinţii lui şi o ie pentru sora lui. S-a întors apoi la cămin unde a lăsat cumpărăturile şi a plecat din nou, de data aceasta la o librărie. Vînzătoarea i-a arătat ultimele apariţii şi George a ales două romane de Liviu Rebreanu, unul de Mihai Sadoveanu şi unul de Marin Preda. La alt raion al librăriei a cumpărat o hartă a României şi un dicţionar englez-român. Cu cărţile sub braţ George a intrat şi într-un magazin de menaj care se afla chiar în stînga librăriei şi a cumpărat un ibric în care să-şi facă cafea turcească în Anglia. Cu cît avea mai multe cumpărături cu atît le ducea mai greu. De aceea s-a hotărît să cumpere un geamantan atît ca să ducă cumpărăturile la cămin, cît şi ca să le ia cu el în Anglia.

5 EXERCISES

A. Translate the following:

1. In Britain they drive (trans. the traffic is) on the left.
2. In this photograph George is on Nick's right.
3. I am not sure but I might leave tomorrow.
4. I wonder what they can be doing?
5. The more Romanian that he knew, the better he could appreciate Romanian literature.
6. As far as I know they arrived yesterday.
7. I asked all the tourists to be there at six o'clock.
8. They have written to many friends since they returned home.
9. Few English people like garlic.
10. We have many things to see in Bucharest.

Compare your answers with this key

1. În Anglia circulaţia este pe stînga.
2. În această poză George este în dreapta lui Nicu.
3. Nu sînt sigur dar s-ar putea să plec mîine.
4. Mă întreb ce-or fi făcînd ei.
5. Cu cît ştia mai bine româneşte cu atît aprecia mai mult literatura română.
6. După cîte ştiu ei au sosit ieri.
7. I-am rugat pe toţi turiştii să fie acolo la ora şase.
8. Au scris la mulţi prieteni de cînd s-au întors acasă.
9. La puţini englezi le place usturoiul.
10. Avem multe lucruri de văzut în Bucureşti.

B. Translate

Before returning to England George left himself a day free in order to buy some presents for his parents and friends. First of all he went to a handicraft shop where he bought several peasant blouses. Then he entered a bookshop to buy two books with reproductions of Romanian paintings and several postcards of various localities in Romania. He also chose for himself two novels by Marin Preda and a volume of poetry by Lucian Blaga. After drinking a pepsi-cola in a coffee-shop, he looked for a hardware store because he wanted to buy a coffee-pot in which to make Turkish coffee. He found one next to the Capşa restaurant and as well as a coffee-pot, he also bought a coffee service for his parents. After he had finished shopping George returned to the hostel tired but satisfied.

C. Compare your text with this key; then read the key aloud

Înainte de a se întoarce în Anglia George şi-a lăsat o zi liberă ca să cumpere nişte cadouri pentru părinţii şi prietenii lui. Mai întîi s-a dus la un magazin de artizanat de unde a cumpărat cîteva ii. Apoi a intrat într-o librărie ca să cumpere două albume de pictură românească şi cîteva cărţi poştale cu diferite localităţi din România. Şi-a ales, de asemenea, două romane de Marin Preda şi un volum de poezii de Lucian Blaga. După ce a băut un pepsi într-o cofetărie, a căutat un magazin de menaj fiindcă a vrut să cumpere un ibric în care să facă cafea turcească. A găsit unul lîngă restaurantul Capşa şi pe lîngă un ibric, a cumpărat şi un serviciu de cafea pentru părinţii lui. După ce a terminat cumpărăturile George s-a întors la cămin obosit dar mulţumit.

LESSON 24

1 VOCABULARY

abia adv. hardly, just
cam adv. rather
cozonac – cozonaci m. a Madeira-type cake baked at Easter
de cînd adv., conj. since when?, since
drag, dragă, dragi, drage adj. dear
Dumnezeu m. God
exterior, exterioară, exteriori, exterioare adj. exterior
firmă – firme f. firm
foc – focuri n. fire
frescă – fresce f. fresco
a se gîndi (la) vb. to think (of)
icoană – icoane f. icon
interesant, interesantă, interesanţi, interesante adj. interesting
împreună adv. together
a se întreba vb. to wonder
înviere f. resurrection
lumînare – lumînări f. candle
miel – miei m. lamb
Paşte n. Easter
Paşti f. pl. Easter
a petrece vb. to spend
pînă conj. until
pompier – pompieri m. fireman
a promite vb. to promise
a se răzgîndi vb. to change one's mind
a relua vb. to take up, to continue

reprezentant – reprezentanţi m. representative
a revedea vb. to see again
a se ruga vb. to pray
slujbă – slujbe f. religious service, work
stimat, stimată, stimaţi, stimate adj. esteemed
stimă f. respect
surpriză – surprize f. surprise
tradiţional, tradiţională, tradiţionali, tradiţionale adj. traditional

Phrases

ştiu eu?	who knows?
o să-mi prindă bine	they will come in handy, they will be useful
asta înseamnă că	that means that
de Paşte	at Easter
a avea loc	to take place
cu cîte o lumînare aprinsă	with a lighted candle each

2 GRAMMAR

A. Temporal Conjunctions

We have already been introduced to a number of temporal conjunctions such as *după ce* 'after', *cînd* 'when' and *în timp ce* 'while'. Listed below are a number of others:

ori de cîte ori	whenever
ori de cîte ori te întreb ceva nu răspunzi	whenever I ask you something you do not reply
cum	whenever
cum sosea la Londra îmi dădea un telefon	as soon as he arrived in London he would give me a ring
abia	hardly just

abia ajunsesem acasă cînd a venit Ana	I had just arrived home when Ann came
încă	yet
Mihai n-a plecat încă	Michael hasn't left yet
pînă	until
te rog să aştepţi pînă vine Nicu	please wait until Nick comes

pînă cînd and pînă ce are almost synonymous with pînă

stau acasă pînă cînd mă simt mai bine	I'm staying at home until I feel better

pînă nu 'until' is often used when the verb in the main clause is in the negative. It is also used to indicate a time limit by which an ensuing action might take place. In such cases *pînă nu* is equivalent to 'before'.

nu plec pînă nu-mi dă banii	I am not leaving until he gives me the money
să mergem pînă nu se răzgîndeşte	let's go before he changes his mind
pînă să	by the time that
pînă să vină pompierii focul se stinsese	by the time that the fireman came the fire had gone out

B. Expressions of Time

We have met in previous lessons examples of the use of *de mult* and *de puţin timp* with the present and imperfect tenses in cases where English uses respectively the perfect and pluperfect:

îl cunosc pe Mihai de trei luni	I have known Michael for three months
fumez din anul 1960	I have been smoking since 1960
locuiam acolo de puţin timp	I had been living there for a short time

In Romanian the present and imperfect tenses are only used with *de mult*, *de puţin* and similar temporal expressions if the action has not been completed at the time of speaking, as in the examples above. Otherwise the compound perfect (or pluperfect, as the case may be) is used:

a ieşit la pensie de mult	he retired a long time ago
ieşise la pensie de mult	he had long retired
nu l-am văzut de două luni	I haven't seen him for two months
n-am primit nimic de la ei de astă vară	I haven't received anything from them since this last summer
n-am primit nimic de la ei din vara trecută	I haven't received anything from them since a year ago last summer
nu ne-a vizitat din 1970	he hasn't visited us since 1970
nu mi-a scris din martie	he hasn't written to me since March
n-am mîncat nimic de marţi	I haven't eaten anything since Tuesday
n-am văzut-o de la 5 ianuarie	I haven't seen her since January 5th

C. Writing a Letter

When addressing a person in a letter the vocative case is required. If you are writing to a friend you begin the letter with *dragă* plus the Christian name or surname. If you are writing a formal letter you use the requisite vocative form of the adjective *stimat* 'esteemed'.

Examples

Dragă Mihai	Dear Michael
Dragă Ana	Dear Ann
Dragă domnule Predescu	Dear Mr Predescu
Dragă doamnă Predescu	Dear Mrs Predescu
Dragă domnişoară Predescu	Dear Miss Predescu
Stimate domn	Dear Sir

Stimate domnule Predescu	Dear Mr Predescu
Stimată doamnă Predescu	Dear Mrs Predescu
Stimată domnişoară Predescu	Dear Miss Predescu

You end a letter to a close friend or relative with

cu drag (oste)	with love
cu dor	with love

You close a letter to a friend with

toate cele bune	all the best
cu bine	bye for now
cu cele mai bune urări	best wishes
multe salutări	many greetings

You close a formal letter with

cu stimă	yours sincerely
cu toată stima	yours sincerely

On the envelope you address the person by using the abbreviated dative forms:

D-lui Mihai Predescu	Mr Mihai Predescu
D-nei Elena Predescu	Mrs Elena Predescu

On the back of the envelope you put the address of the place that you are writing from.

Note that before nouns in the vocative the masculine form of the adjective *drag* 'dear' is replaced by the feminine form *dragă*:

dragă Mihai
dragă domnule Predescu
dragă prietene

The phrase *dragă Mihai* can be used equally by a man addressing Mihai as well as by a woman. However, it would also be possible to use the phrase *dragul meu* 'my dear chap' cf. *draga mea* 'my dear girl/lady', *dragii mei* 'my dear fellows' and *dragele mele* 'my dear girls/ladies'.

■ 3 CONVERSATION

Ana: Mă întreb ce-o fi făcînd George?

Mihai: Ştiu eu? Poate că şi el se gîndeşte la noi.
A: I-am scris ieri o scrisoare cu ultimele veşti de aici.
M: Şi George care îmi promisese că o să ne scrie des.

Sună telefonul.

Nicu: Alo, Mihai. Aici e Nicu. Am o surpriză plăcută. George scrie că se întoarce în România peste o lună. I-e dor de Bucureşti şi de noi toţi. Va lucra ca reprezentantul unei firme britanice aici.
M: Asta înseamnă că o să ne vedem des şi că o să ne putem relua conversaţiile în limba română şi engleză. Şi ce bine o să-mi prindă conversaţiile astea la examenul meu de engleză din vară.
A: Numai la tine te gîndeşti. Eu mă bucur că o să-l revăd pe George.

4 A LETTER

Dragă George,

Nu ţi-am scris de cînd te-ai întors în Anglia pentru că am fost foarte ocupat. De Paşte am fost cu Mihai şi Ana la o mănăstire din nordul Moldovei. Deşi vremea a fost cam rece am petrecut cîteva zile foarte plăcute şi interesante. După cum ştii, slujba de înviere în biserica ortodoxă are loc la ora 12 noaptea după care toată lumea pleacă cu cîte o lumînare aprinsă spre casă, o privelişte impresionantă. Cînd am ajuns la casa unde locuiam ne aştepta tradiţionala masă cu ouă roşii, miel şi cozonac. A doua zi noi trei am vizitat încă două mănăstiri din regiune, renumite pentru frescele exterioare ca şi pentru icoanele vechi dinăuntru. Din păcate, a treia zi a trebuit să ne întoarcem la Bucureşti. Cînd vii din nou în România trebuie să vizităm această regiune împreună.

Cum ai petrecut tu Paştele? Aştept cîteva rînduri de la tine.

multe salutări,
Nicu

Note that in the phrase: cînd am ajuns la casa unde locuiam the noun casa has the definite article because although it follows a preposition, it is qualified by unde 'when we reached the house where we were staying'.

5 EXERCISES

A. Translate the following:

1. Whenever we go to the church we light a candle and pray to God.
2. I had just gone out when the telephone rang.
3. Why hasn't Nick sent the parcel yet?
4. By the time that Michael reached the station the train had left.
5. I haven't seen Mrs Predescu for two weeks.
6. He has been living in London for two years.
7. We haven't been to the mountains for five years.
8. Dear George, write to me soon.
9. I miss London.
10. How did you spend Christmas?

Compare your answers with this key

1. Ori de cîte ori mergem la biserică aprindem o lumînare şi ne rugăm lui Dumnezeu.
2. Eu abia ieşisem cînd a sunat telefonul.
3. De ce n-a trimis Nicu încă pachetul?
4. Pînă să ajungă Mihai la gară trenul plecase.
5. N-am văzut-o pe doamna Predescu de două săptămîni.
6. El locuieşte la Londra de doi ani.
7. Noi n-am fost la munte de cinci ani.
8. Dragă George, scrie-mi curînd.
9. Mi-e dor de Londra.
10. Cum ai/aţi petrecut Crăciunul?

B. Translate

Ann and Michael hadn't been to northern Moldavia for several years and so they decided to spend Easter there. They stayed with a family of peasants and visited several monasteries that were famous for their external frescoes. At one of the monasteries that they visited they attended (au asistat la) the resurrection service and afterwards went home each with a lighted candle. When they returned to the house where they were staying they found the table laid with the traditional Easter meal (trans. food) – red eggs, roast lamb and Easter cake. They ate until four o'clock in the morning and then everybody went to bed. At eight o'clock Ann and Michael got up in order to leave for Bucharest.

C. Compare your text with this key; then read the key aloud

Ana şi Mihai nu (mai) fuseseră în nordul Moldovei de mai mulţi ani şi deci s-au hotărît să petreacă Paştele acolo. Au stat la o familie de ţărani şi au vizitat cîteva mănăstiri care erau renumite pentru frescele lor exterioare. La una din mănăstirile pe care le-au vizitat au asistat la slujba de înviere şi după aceea au plecat acasă cu cîte o lumînare aprinsă. Cînd s-au întors la casa unde stăteau au găsit masa pusă cu tradiţionala mîncare de Paşte – ouă roşii, friptură de miel şi cozonac. Au mîncat pînă la ora patru dimineaţă şi apoi toată lumea s-a culcat. La ora opt Ana şi Mihai s-au sculat ca să plece la Bucureşti.

LESSON 25 REVISION

1 VOCABULARY

absenţă – absenţe f. absence
a ateriza vb. to land
bărbat – bărbaţi m. man
cer – ceruri n. sky, heaven
chelner – chelneri m. waiter
a cheltui vb. to spend
deoarece conj. since, as
departe adv. far
din cînd în cînd adv. from time to time
femeie – femei f. woman
fereastră – ferestre f. window
gras, grasă, graşi, grase adj. fat
a iubi vb. to love
întîrziere – întîrzieri f. delay
a se mira vb. to be surprised
pasager – pasageri m. passenger

peron – peroane n. platform
a se pregăti vb. to prepare
sfîrşit – sfîrşituri n. end
slab, slabă, slabi, slabe adj. thin, weak
şpriţ – şpriţuri n. Spritz, mixture of wine and mineral water

Phrases

bine ai venit	welcome
bine v-am găsit	nice to find you well (traditional reply to bine ai/bine aţi venit)
bun venit	welcome
cîte un şpriţ	a Spritz each
cît mai multe mîncăruri româneşti	as many Romanian dishes as possible
v-am adus cîte ceva	I've brought you a little something each
în sfîrşit	at last
a da voie (+ dat.)	to allow
e cazul să	it is the moment to
nu numai . . . ci şi	not only . . . but also
nu-i nimic	it doesn't matter
pe cer	in the sky
în cer	in heaven

■ 2 TEXT

Nicu, Ana şi Mihai sînt la aeroportul Otopeni unde îl aşteaptă pe George care se întoarce în România după o absenţă de opt luni. Deoarece avionul de la Londra are o întîrziere de treizeci de minute ei se duc la restaurantul aeroportului şi se aşează la o masă lîngă fereastră. Chelnerul le aduce vin şi apă minerală din care ei îşi fac cîte un şpriţ. Prin fereastră văd pe cer un avion care se pregăteşte să aterizeze. Peste o jumătate de oră îl văd pe George ieşind din vamă cu alţi pasageri şi ducînd două geamantane grele.

– Bine ai venit George, spun ei.
– Bine v-am găsit. Mi-a fost dor de voi. Mă bucur că vă revăd. Acum o să putem să ne vedem mai des.
– Sigur că da, spune Nicu. Dă-mi voie să-ţi duc eu un geamantan. Dar de ce e aşa de greu?
– Acolo am o parte din cadouri. V-am adus cîte ceva nu numai vouă ci şi părinţilor voştri.
– Şi părinţii mei, spune Ana, ţi-au pregătit azi o masă românească cu sarmale şi cozonac. O să ne simţim toţi ca la Crăciun.
– Splendid. De data aceasta vreau să mănînc cît mai multe mîncăruri româneşti.
– Atunci o să te întorci la Londra gras.
– Nu-i nimic. Tot sînt prea slab acum. O să putem merge din nou cu toţii la cinema şi din cînd în cînd seara la un restaurant să bem bere şi să mîncăm mititei.
– Văd că tot la mîncare te gîndeşti. Asta înseamnă că e cazul să mergem cu toţii la masă.

3 EXERCISES

A. Using the forms with o put the verbs in the following sentences into the future:

1. George s-a bucurat să se întoarcă în România.
2. Ana s-a sculat tîrziu.
3. Nu putem pleca astăzi.
4. De ce nu ne-a spus?
5. Eu v-am dat cheile.
6. Mi-a trimis-o.
7. Şi-a amintit mai tîrziu.
8. Vizita începe mîine.
9. La ce adresă stă Nicu la Buşteni?
10. Doctorul se duce la policlinică.

Compare your answers with this key

1. o să se bucure
2. o să se scoale

3. n-o să putem
4. n-o să ne spună
5. o să vă dau
6. o să mi-o trimită
7. o să-şi amintească
8. o să înceapă
9. o să stea
10. o să se ducă

B. Change the verbs in the following sentences into the imperfect:

1. Ei n-au vrut să plece.
2. Ana a trebuit să facă cumpărăturile.
3. Nu mi-a plăcut mîncarea.
4. Îţi aminteşti cum am sărbătorit Paştele?
5. Noi l-am aşteptat la hotel.
6. Eu am mîncat mult de Crăciun.
7. Cînd a sunat deşteptătorul m-am trezit.
8. Cînd mama m-a strigat m-am dus repede la masă.
9. A schimbat nişte dolari la bancă.
10. Cui i-ai telefonat?

Compare your answers with this key

1. nu voiau
2. trebuia
3. nu-mi plăcea
4. sărbătoream
5. îl aşteptam
6. mîncam
7. suna, mă trezeam
8. mă striga, mă duceam
9. schimba
10. îi telefonai

C. Put the verbs in the following sentences into the pluperfect:

1. Nicu a plătit trei bilete.
2. A început să ningă.
3. Timpul a trecut repede.

4. Noi l-am auzit vorbind la radio.
5. Nu s-a întors de la mare.
6. Ai mîncat prea mult la prînz.
7. Aţi împachetat geamantanele?
8. Eu am terminat scrisoarea.
9. Cît de mult a crescut Mihai?
10. Nicu n-a vîndut maşina.

Compare your answers with this key

1. plătise
2. începuse
3. trecuse
4. auziserăm
5. se întorsese
6. mîncaseşi
7. împachetaserăţi
8. terminasem
9. crescuse
10. vînduse

D. Translate the following:

1. They had seen her getting off the train but now they couldn't find her on the platform.
2. How far is Cluj from Bucharest?
3. I spent so much money in Paris that I had to change another hundred dollars.
4. I am surprised that there are so many people at the airport.
5. I wonder what Ann can be doing.
6. The car went so fast that we were afraid to look out of the window.
7. We sent postcards to many of our friends.
8. They haven't been to Romania for many years.
9. While she was preparing the food she burnt herself.
10. He enjoyed his holiday in Romania so much that he has decided to return next year.

Compare your answers with this key

1. O văzuseră coborînd din tren dar acuma nu puteau s-o găsească pe peron.
2. Cît de departe este Clujul de Bucureşti?
3. Am cheltuit atîţia bani la Paris încît a trebuit să mai schimb o sută de dolari.
4. Mă mir că sînt atîţia oameni la aeroport.
5. Mă întreb ce-o fi făcînd Ana.
6. Maşina a mers atît de repede încît ne era frică să ne uităm pe geam.
7. Am trimis cărţi poştale la mulţi dintre prietenii noştri (*or* multora dintre prietenii noştri).
8. N-au fost în România de mulţi ani.
9. În timp ce pregătea mîncarea ea s-a ars.
10. I-a plăcut aşa de mult vacanţa lui în România încît s-a hotărît să se întoarcă anul viitor (*or* la anul).

E. Translate

Ann, Nick and Michael went to the airport to wait for George who was returning to Romania as the representative of a British company. Since George's plane was half an hour late they went to the airport restaurant and ordered three Turkish coffees. By the time that they had finished their coffees the plane had landed and a short while afterwards George came out of the customs carrying two heavy suitcases. They kissed George and welcomed him back to Romania. George said that he had missed them all, that he was glad to be back in Romania, and that he could hardly wait to eat some Romanian food. Ann told George that her parents had prepared a Romanian meal for him and that they were expecting him that evening.

F. Compare your text with this key; then read the key aloud

Ana, Nicu şi Mihai s-au dus la aeroport să-l aştepte pe George care se întorcea în România ca reprezentantul unei firme britanice. Deoarece avionul lui George avea o întîrziere de o jumătate de oră s-au dus la restaurantul aeroportului şi au comandat trei cafele turceşti. Pînă să-şi termine cafelele avionul a aterizat şi nu peste mult timp George a ieşit din vamă ducînd două geamantane grele.

Ei l-au sărutat pe George şi i-au spus bun venit în România. George a spus că i-a fost dor de ei toţi, că se bucură să fie iar în România, şi că abia aşteaptă să mănînce ceva mîncare românească. Ana i-a spus lui George că părinţii ei i-au pregătit o masă românească şi că-l aşteaptă în seara aceea.

APPENDIX

VERB TABLE

In the following verb table these points should be noted:

1. The present indicative is given in full. Remember that in the second person singular the value of final -i depends on whether or not it is preceded by a vowel or by a consonant plus l or r (see Lesson 2: Pronunciation).

2. The second person singular and plural positive forms of the imperative are given. The second person singular positive form is often identical with either the second or third person singular form of the present indicative. The second person plural positive form is always identical with the second person plural form of the present indicative. Some verbs are not used in the imperative form.

3. The forms of the present subjunctive are identical with the forms of the present indicative except in the third person singular and plural where a common form that differs from the present indicative forms is used. It is this form that is given. The verb *a fi* is irregular.

	Present Indicative	Subjunctive	Imperative	Past Participle
a acoperi 'to cover'	acopăr acoperi acoperă acoperim acoperiţi acoperă	să acopere	acoperă acoperiţi	acoperit
a adăuga 'to add'	adaug adaugi adaugă adăugăm adăugaţi adaugă	să adauge	adaugă adăugaţi	adăugat
a aduce 'to bring'	aduc aduci aduce aducem	să aducă	adu aduceţi	adus

	Present Indicative	Subjunctive	Imperative	Past Particip[le]
	ad**uc**eţi			
	ad**uc**			
a adun**a**	ad**u**n	să ad**u**ne	ad**u**nă	adun**a**t
'to assemble'	ad**u**ni		adun**a**ţi	
	ad**u**nă			
	adun**ă**m			
	adun**a**ţi			
	ad**u**nă			
a afl**a**	**a**flu	să **a**fle	**a**flă	afl**a**t
'to find out'	**a**fli		afl**a**ţi	
	află			
	afl**ă**m			
	afl**a**ţi			
	află			
a aj**u**nge	aj**u**ng	să aj**u**ngă	aj**u**ngi	aj**u**ns
'to arrive'	aj**u**ngi		aj**u**ngeţi	
	aj**u**nge			
	aj**u**ngem			
	aj**u**ngeţi			
	aj**u**ng			
a ajut**a**	aj**u**t	să aj**u**te	aj**u**tă	ajut**a**t
'to help'	aj**u**ţi		ajut**a**ţi	
	aj**u**tă			
	ajut**ă**m			
	ajut**a**ţi			
	aj**u**tă			
a al**e**ge	**a**leg	să ale**a**gă	**a**lege	al**e**s
'to choose'	**a**legi		al**e**geţi	
	alege			
	al**e**gem			
	al**e**geţi			
	aleg			
a amint**i**	amint**e**sc	să aminte**a**scă	amint**e**şte	amint**i**t
'to remind'	amint**e**şti		amint**i**ţi	
	amint**e**şte			
	amint**i**m			
	amint**i**ţi			
	amint**e**sc			
a anunţ**a**	an**u**nţ	să an**u**nţe	an**u**nţă	anunţ**a**t

	Present Indicative	Subjunctive	Imperative	Past Participle
'to announce'	anunţi		anunţaţi	
	anunţă			
	anunţăm			
	anunţaţi			
	anunţă			
a aprinde	aprind	să aprindă	aprinde	aprins
'to light'	aprinzi		aprindeţi	
	aprinde			
	aprindem			
	aprindeţi			
	aprind			
a se apropia	mă apropii	să se apropie	apropie-te	apropiat
'to approach'	te apropii		apropiaţi-vă	
	se apropie			
	ne apropiem			
	vă apropiaţi			
	se apropie			
a apuca	apuc	să apuce	apucă	apucat
'to seize'	apuci		apucaţi	
	apucă			
	apucăm			
	apucaţi			
	apucă			
a arăta	arăt	să arate	arată	arătat
'to show'	arăţi		arătaţi	
	arată			
	arătăm			
	arătaţi			
	arată			
a arde	ard	să ardă	arde/arzi	ars
'to burn'	arzi		ardeţi	
	arde			
	ardem			
	ardeţi			
	ard			
a arunca	arunc	să arunce	aruncă	aruncat
'to throw'	arunci		aruncaţi	
	aruncă			
	aruncăm			

	Present Indicative	Subjunctive	Imperative	Past Participle
	arunc**a**ţi			
	ar**u**ncă			
a ascult**a**	asc**u**lt	să asc**u**lte	asc**u**ltă	ascult**a**t
'to listen to'	asc**u**lţi		ascult**a**ţi	
	asc**u**ltă			
	ascult**ă**m			
	ascult**a**ţi			
	asc**u**ltă			
a asc**u**nde	asc**u**nd	să asc**u**ndă	asc**u**nde	asc**u**ns
'to hide'	asc**u**nzi		asc**u**ndeţi	
	asc**u**nde			
	asc**u**ndem			
	asc**u**ndeţi			
	asc**u**nd			
a aşez**a**	aş**e**z	să aş**e**ze	aşe**a**ză	aşez**a**t
'to place'	aş**e**zi		aşez**a**ţi	
	aşe**a**ză			
	aşez**ă**m			
	aşez**a**ţi			
	aşe**a**ză			
a aştept**a**	aşt**e**pt	să aşt**e**pte	aşte**a**ptă	aştept**a**t
'to wait for'	aşt**e**pţi		aştept**a**ţi	
	aşte**a**ptă			
	aştept**ă**m			
	aştept**a**ţi			
	aşte**a**ptă			
a at**i**nge	at**i**ng	să at**i**ngă	at**i**nge	at**i**ns
'to touch'	at**i**ngi		at**i**ngeţi	
	at**i**nge			
	at**i**ngem			
	at**i**ngeţi			
	at**i**ng			
a auz**i**	a**u**d	să a**u**dă	auz**i**	auz**i**t
'to hear'	a**u**zi		auz**i**ţi	
	a**u**de			
	auz**i**m			
	auz**i**ţi			
	a**u**d			

	Present Indicative	Subjunctive	Imperative	Past Participle
a ave**a**	am	să **a**ibă	ai	av**u**t
'to have'	ai		av**e**ţi	
	are			
	av**e**m			
	av**e**ţi			
	au			
a b**a**te	bat	să b**a**tă	b**a**te	băt**u**t
'to beat'	baţi		b**a**teţi	
	b**a**te			
	b**a**tem			
	b**a**teţi			
	bat			
a be**a**	beau	să bea	bea	bă**u**t
'to drink'	bei		beţi	
	bea			
	bem			
	beţi			
	beau			
a se bucur**a**	mă b**u**cur	să se b**u**cure	b**u**cură-te	bucur**a**t
'to be glad'	te b**u**curi		bucur**a**ţi-vă	
	se b**u**cură			
	ne bucur**ă**m			
	vă bucur**a**ţi			
	se b**u**cură			
a căde**a**	cad	să c**a**dă	cazi	căz**u**t
'to fall'	cazi		căd**e**ţi	
	c**a**de			
	căd**e**m			
	căd**e**ţi			
	cad			
a se căsător**i**	mă căsător**e**sc	să se căsător**e**ască		căsător**i**t
'to get married'	te căsător**e**şti		căsător**e**şte-te	
	se căsător**e**şte		căsător**i**ţi-vă	
	ne căsător**i**m			
	vă căsător**i**ţi			
	se căsător**e**sc			
a căut**a**				
'to look for'	c**a**ut	să c**a**ute	c**a**ută	căut**a**t

	Present Indicative	Subjunctive	Imperative	Past Participle
	cauţi		căutaţi	
	caută			
	căutăm			
	căutaţi			
	caută			
a cere	cer	să ceară	cere	cerut
'to ask for'	ceri		cereţi	
	cere			
	cerem			
	cereţi			
	cer			
a cheltui	cheltuiesc	să cheltuiască	cheltuieşte	cheltuit
'to spend'	cheltuieşti		cheltuiţi	
	cheltuieşte			
	cheltuim			
	cheltuiţi			
	cheltuiesc			
a chema	chem	să cheme	cheamă	chemat
'to call'	chemi		chemaţi	
	cheamă			
	chemăm			
	chemaţi			
	cheamă			
a citi	citesc	să citească	citeşte	citit
'to read'	citeşti		citiţi	
	citeşte			
	citim			
	citiţi			
	citesc			
a cînta	cînt	să cînte	cîntă	cîntat
'to sing'	cînţi		cîntaţi	
	cîntă			
	cîntăm			
	cîntaţi			
	cîntă			
a cîştiga	cîştig	să cîştige	cîştigă	cîştigat
'to win'	cîştigi		cîştigaţi	

	Present Indicative	Subjunctive	Imperative	Past Participle
	cîşt**i**gă			
	cîştig**ă**m			
	cîştig**a**ţi			
	cîşt**i**gă			
a cobor**î**	cob**o**r	să cob**oa**re	cob**oa**ră	cobor**î**t
'to descend'	cob**o**ri		cobor**î**ţi	
	cob**oa**ră			
	cobor**î**m			
	cobor**î**ţi			
	cob**oa**ră			
a continu**a**	cont**i**nui	să cont**i**nue	cont**i**nuă	continu**a**t
'to continue'	cont**i**nui		continu**a**ţi	
	cont**i**nuă			
	continu**ă**m			
	continu**a**ţi			
	cont**i**nuă			
a cr**e**de	cred	să cr**ea**dă	crezi	crez**u**t
'to believe'	crezi		cr**e**deţi	
	cr**e**de			
	cr**e**dem			
	cr**e**deţi			
	cred			
a cr**e**şte	cresc	să cr**ea**scă	creşti	cresc**u**t
'to grow'	creşti		cr**e**şteţi	
	cr**e**şte			
	cr**e**ştem			
	cr**e**şteţi			
	cresc			
a se culc**a**	mă culc	să se c**u**lce	c**u**lcă-te	culc**a**t
'to go to bed'	te culci		culc**a**ţi-vă	
	se c**u**lcă			
	ne culc**ă**m			
	vă culc**a**ţi			
	se c**u**lcă			
a cumpăr**a**	c**u**mpăr	să c**u**mpere	c**u**mpără	cumpăr**a**t
'to buy'	c**u**mperi		cumpăr**a**ţi	
	c**u**mpără			
	cumpăr**ă**m			

	Present Indicative	Subjunctive	Imperative	Past Participle
	cumpăr**a**ţi			
	c**u**mpără			
a cuno**a**şte	cun**o**sc	să cuno**a**scă	cuno**a**şte	cunosc
'to know'	cun**o**şti		cuno**a**şteţi	
	cuno**a**şte			
	cuno**a**ştem			
	cuno**a**şteţi			
	cun**o**sc			
a cupr**i**nde	cupr**i**nd	să cupr**i**ndă	cupr**i**nde	cuprins
'to contain'	cupr**i**nzi		cupr**i**ndeţi	
	cupr**i**nde			
	cupr**i**ndem			
	cupr**i**ndeţi			
	cupr**i**nd			
a da	dau	să dea	dă	dat
'to give'	dai		daţi	
	dă			
	dăm			
	daţi			
	dau			
a desch**i**de	desch**i**d	să desch**i**dă	desch**i**de	deschis
'to open'	desch**i**zi		desch**i**deţi	
	desch**i**de			
	desch**i**dem			
	desch**i**deţi			
	desch**i**d			
a deven**i**	dev**i**n	să dev**i**nă	—	deven**i**
'to become'	dev**i**i		—	
	dev**i**ne			
	deven**i**m			
	deven**i**ţi			
	dev**i**n			
a dor**i**	dor**e**sc	să dore**a**scă	dor**e**şte	dor**i**t
'to wish'	dor**e**şti		dor**i**ţi	
	dor**e**şte			
	dor**i**m			
	dor**i**ţi			
	dor**e**sc			

	Present Indicative	Subjunctive	Imperative	Past Participle
a dorm**i**	dorm	să do**a**rmă	dormi	dorm**i**t
'to sleep'	dormi		dorm**i**ţi	
	do**a**rme			
	dorm**i**m			
	dorm**i**ţi			
	dorm			
a se d**u**ce	mă duc	să se d**u**că	du-te	dus
'to go'	te duci		duc**e**ţi-vă	
	se d**u**ce			
	ne d**u**cem			
	vă duc**e**ţi			
	se duc			
a f**a**ce	fac	să f**a**că	fă	făc**u**t
'to do'	faci		f**a**ceţi	
	f**a**ce			
	f**a**cem			
	f**a**ceţi			
	fac			
a fi	sînt	să fiu	fii	fost
'to be'	eşti	să fii	fiţi	
	este	să f**i**e		
	sîntem	să fim		
	sînteţi	să fiţi		
	sînt	să f**i**e		
a folos**i**	folos**e**sc	să folose**a**scă	folos**e**şte	folos**i**t
'to use'	folos**e**şti		folos**i**ţi	
	folos**e**şte			
	folos**i**m			
	folos**i**ţi			
	folos**e**sc			
a fum**a**	fum**e**z	să fum**e**ze	fume**a**ză	fum**a**t
'to smoke'	fum**e**zi		fum**a**ţi	
	fume**a**ză			
	fum**ă**m			
	fum**a**ţi			
	fume**a**ză			
a găs**i**	găs**e**sc	să găse**a**scă	găs**e**şte	găs**i**t
'to find'	găs**e**şti		găs**i**ţi	

	Present Indicative	Subjunctive	Imperative	Past Particip
	găseşte			
	găsim			
	găsiţi			
	găsesc			
a ghici	ghicesc	să ghicească	ghici	ghicit
'to guess'	ghiceşti		ghiciţi	
	ghiceşte			
	ghicim			
	ghiciţi			
	ghicesc			
a se gîndi	mă gîndesc	să se gîndească	gîndeşte-te	gîndi
'to think'	te gîndeşti		gîndiţi-vă	
	se gîndeşte			
	ne gîndim			
	vă gîndiţi			
	se gîndesc			
a se grăbi	mă grăbesc	să se grăbească	grăbeşte-te	grăbi
'to hasten'	te grăbeşti		grăbiţi-vă	
	se grăbeşte			
	ne grăbim			
	vă grăbiţi			
	se grăbesc			
a hotărî	hotărăsc	să hotărască	hotărăşte	hotăr
'to decide'	hotărăşti		hotărîţi	
	hotărăşte			
	hotărîm			
	hotărîţi			
	hotărăsc			
a ierta	iert	să ierte	iartă	ierta
'to forgive'	ierţi		iertaţi	
	iartă			
	iertăm			
	iertaţi			
	iarta			
a ieşi	ies	să iasă	ieşi	ieşit
'to go out'	ieşi		ieşiţi	
	iese			
	ieşim			

	Present Indicative	Subjunctive	Imperative	Past Participle
	ieşiţi ies			
a intra 'to enter'	intru intri intră intrăm intraţi intră	să intre	intră intraţi	intrat
a invita 'to invite'	invit inviţi invită invităm invitaţi invită	să invite	invită invitaţi	invitat
a iubi 'to love'	iubesc iubeşti iubeşte iubim iubiţi iubesc	să iubească	iubeşte iubiţi	iubit
a se îmbrăca 'to get dressed'	mă îmbrac te îmbraci se îmbracă ne îmbrăcăm vă îmbrăcaţi se îmbracă	să se îmbrace	îmbracă-te îmbrăcaţi-vă	îmbrăcat
a începe 'to begin'	încep începi începe începem începeţi încep	să înceapă	începe începeţi	început
a încerca 'to try'	încerc încerci încearcă încercăm încercaţi încearcă	să încerce	încearcă încercaţi	încercat

	Present Indicative	Subjunctive	Imperative	Past Particip
a înch**i**de	înch**i**d	să înch**i**dă	înch**i**de	închis
'to close'	înch**i**zi		înch**i**deţi	
	înch**i**de			
	înch**i**dem			
	înch**i**deţi			
	înch**i**d			
a încurc**a**	înc**u**rc	să înc**u**rce	înc**u**rcă	încur
'to mix up'	înc**u**rci		încurc**a**ţi	
	înc**u**rcă			
	încurc**ă**m			
	încurc**a**ţi			
	înc**u**rcă			
a îndrăzn**i**	îndrăzn**e**sc	să îndrăzne**a**scă		îndră
'to dare'	îndrăzn**e**şti		îndrăzn**e**şte	
	îndrăzn**e**şte		îndrăzn**i**ţi	
	îndrăzn**i**m			
	îndrăzn**i**ţi			
	îndrăzn**e**sc			
a îngrij**i**	îngrij**e**sc	să îngrije**a**scă	îngrij**e**şte	îngri
'to look after'	îngrij**e**şti		îngrij**i**ţi	
	îngrij**e**şte			
	îngrij**i**m			
	îngrij**i**ţi			
	îngrij**e**sc			
a înot**a**	în**o**t	să îno**a**te	îno**a**tă	înota
'to swim'	în**o**ţi		înot**a**ţi	
	îno**a**tă			
	înot**ă**m			
	înot**a**ţi			
	îno**a**tă			
a înt**i**nde	înt**i**nd	să înt**i**ndă	înt**i**nde	întin
'to stretch'	înt**i**nzi		înt**i**ndeţi	
	înt**i**nde			
	înt**i**ndem			
	înt**i**ndeţi			
	înt**i**nd			
a se întîln**i**	mă întîln**e**sc	să se întîlne**a**scă		întîln
'to meet'	te întîln**e**şti		întîln**e**şte-te	

	Present Indicative	Subjunctive	Imperative	Past Participle
	se întîlneşte		întîlniţi-vă	
	ne întîlnim			
	vă întîlniţi			
	se întîlnesc			
a se întoarce	mă întorc	să se întoarcă		întors
'to return'	te întorci		întoarce-te	
	se întoarce		întoarceţi-vă	
	ne întoarcem			
	vă întoarceţi			
	se întorc			
a întreba	întreb	să întrebe	întreabă	întrebat
'to ask'	întrebi		întrebaţi	
	întreabă			
	întrebăm			
	întrebaţi			
	întreabă			
a înţelege	înţeleg	să înţeleagă	înţelege	înţeles
'to understand'	înţelegi		înţelegeţi	
	înţelege			
	înţelegem			
	înţelegeţi			
	înţeleg			
a învăţa	învăţ	să înveţe	învaţă	învăţat
'to learn'	înveţi		învăţaţi	
	învaţă			
	învăţăm			
	învăţaţi			
	învaţă			
a juca	joc	să joace	joacă	jucat
'to play'	joci		jucaţi	
	joacă			
	jucăm			
	jucaţi			
	joacă			
a lăsa	las	să lase	lasă	lăsat
'to leave'	laşi		lăsaţi	
	lasă			
	lăsăm			

	Present Indicative	Subjunctive	Imperative	Past Participle
	lăsaţi			
	lasă			
a lega	leg	să lege	leagă	legat
'to tie'	legi		legaţi	
	leagă			
	legăm			
	legaţi			
	leagă			
a lipsi	lipsesc	să lipsească		lipsit
'to be missing'	lipseşti			
	lipseşte			
	lipsim			
	lipsiţi			
	lipsesc			
a locui	locuiesc	să locuiască	locuieşte	locuit
'to dwell'	locuieşti		locuiţi	
	locuieşte			
	locuim			
	locuiţi			
	locuiesc			
a lua	iau	să ia	ia	luat
'to take'	iei		luaţi	
	ia			
	luăm			
	luaţi			
	iau			
a lucra	lucrez	să lucreze	lucrează	lucrat
'to work'	lucrezi		lucraţi	
	lucrează			
	lucrăm			
	lucraţi			
	lucrează			
a lupta	lupt	să lupte	luptă	luptat
'to fight'	lupţi		luptaţi	
	luptă			
	luptăm			
	luptaţi			
	luptă			

	Present Indicative	Subjunctive	Imperative	Past Participle
a merge	merg	să meargă	mergi	mers
'to go'	mergi		mergeţi	
	merge			
	mergem			
	mergeţi			
	merg			
a merita	merit	să merite		meritat
'to deserve'	meriţi			
	merită			
	merităm			
	meritaţi			
	merită			
a mînca	mănînc	să mănînce	mănîncă	mîncat
'to eat'	mănînci		mîncaţi	
	mănîncă			
	mîncăm			
	mîncaţi			
	mănîncă			
a mulţumi	mulţumesc	să mulţumească		mulţumit
'to thank'	mulţumeşti		mulţumeşte	
	mulţumeşte		mulţumiţi	
	mulţumim			
	mulţumiţi			
	mulţumesc			
a muri	mor	să moară	mori	murit
'to die'	mori		muriţi	
	moare			
	murim			
	muriţi			
	mor			
a se naşte	mă nasc	să se nască		născut
'to be born'	te naşti			
	se naşte			
	ne naştem			
	vă naşteţi			
	se nasc			
a număra	număr	să numere	numără	numărat
'to count'	numeri		număraţi	

	Present Indicative	Subjunctive	Imperative	Past Participle
	numără numărăm număraţi numără			
a oferi 'to offer'	ofer oferi oferă oferim oferiţi oferă	să ofere	oferă oferiţi	oferit
a omorî 'to kill'	omor omori omoară omorîm omorîţi omoară	să omoare	omoară omorîţi	omorît
a opri 'to stop'	opresc opreşti opreşte oprim opriţi opresc	să oprească	opreşte opriţi	oprit
a părea 'to seem'	par pari pare părem păreţi par	să pară	pari păreţi	părut
a păstra 'to keep', 'to preserve'	păstrez păstrezi păstrează păstrăm păstraţi păstrează	să păstreze	păstrează păstraţi	păstra
a petrece 'to spend time'	petrec petreci petrece petrecem	să petreacă	petrece petreceţi	petrec

	Present Indicative	Subjunctive	Imperative	Past Participle
	petreceţi			
	petrec			
a pi**e**rde	pi**e**rd	să pi**a**rdă	pi**e**rde	pierd**u**t
'to lose'	pi**e**rzi		pi**e**rdeţi	
	pi**e**rde			
	pi**e**rdem			
	pi**e**rdeţi			
	pi**e**rd			
a plăt**i**	plăt**e**sc	să plăt**ea**scă	plăt**e**şte	plăt**i**t
'to pay'	plăt**e**şti		plăt**i**ţi	
	plăt**e**şte			
	plăt**i**m			
	plăt**i**ţi			
	plăt**e**sc			
a plec**a**	pl**e**c	să pl**e**ce	ple**a**că	plec**a**t
'to leave'	pl**e**ci		plec**a**ţi	
	ple**a**că			
	plec**ă**m			
	plec**a**ţi			
	ple**a**că			
a se plimb**a**	mă pl**i**mb	să se pl**i**mbe	pl**i**mbă-te	plimb**a**t
'to go for a walk'	te pl**i**mbi		plimb**a**ţi-vă	
	se pl**i**mbă			
	ne plimb**ă**m			
	vă plimb**a**ţi			
	se pl**i**mbă			
a pl**î**nge	pl**î**ng	să pl**î**ngă	pl**î**ngi	pl**î**ns
'to cry'	pl**î**ngi		pl**î**ngeţi	
	pl**î**nge			
	pl**î**ngem			
	pl**î**ngeţi			
	pl**î**ng			
a porn**i**	porn**e**sc	să porn**ea**scă	porn**e**şte	porn**i**t
'to start'	porn**e**şti		porn**i**ţi	
	porn**e**şte			
	porn**i**m			
	porn**i**ţi			
	porn**e**sc			

	Present Indicative	Subjunctive	Imperative	Past Particip
a povesti	povestesc	să povestească	povestește	poves
'to relate'	povestești		povestiți	
	povestește			
	povestim			
	povestiți			
	povestesc			
a prefera	prefer	să prefere		prefer
'to prefer'	preferi			
	preferă			
	preferăm			
	preferați			
	preferă			
a pregăti	pregătesc	să pregătească	pregătește	pregă
'to prepare'	pregătești		pregătiți	
	pregătește			
	pregătim			
	pregătiți			
	pregătesc			
a primi	primesc	să primească	primește	primi
'to receive'	primești		primiți	
	primește			
	primim			
	primiți			
	primesc			
a prinde	prind	să prindă	prinde	prins
'to catch'	prinzi		prindeți	
	prinde			
	prindem			
	prindeți			
	prind			
a privi	privesc	să privească	privește	privit
'to look'	privești		priviți	
	privește			
	privim			
	priviți			
	privesc			
a promite	promit	să promită	promite	prom
'to promise'	promiți		promiteți	

	Present Indicative	Subjunctive	Imperative	Past Participle
	promite			
	promitem			
	promiteţi			
	promit			
a pune	pun	să pună	pune	pus
'to put'	pui		puneţi	
	pune			
	punem			
	puneţi			
	pun			
a purta	port	să poarte	poartă	purtat
'to wear'	porţi		purtaţi	
	poartă			
	purtăm			
	purtaţi			
	poartă			
a putea	pot	să poată		putut
'to be able'	poţi			
	poate			
	putem			
	puteţi			
	pot			
a se rade	mă rad	să radă	rade-te	ras
'to have a haircut'	te razi		radeţi-vă	
	se rade			
	ne radem			
	vă radeţi			
	se rad			
a rămîne	rămîn	să rămînă	rămîi	rămas
'to remain'	rămîi		rămîneţi	
	rămîne			
	rămînem			
	rămîneţi			
	rămîn			
a răspunde	răspund	să răspundă	răspunde	răspuns
'to reply'	răspunzi		răspundeţi	
	răspunde			
	răspundem			

	Present Indicative	Subjunctive	Imperative	Past Particip
	răspundeţi			
	răspund			
a repara	repar	să repare	repară	repar
'to repair'	repari		reparaţi	
	repară			
	reparăm			
	reparaţi			
	repară			
a reuşi	reuşesc	să reuşească	reuşeşte	reuşit
'to succeed'	reuşeşti		reuşiţi	
	reuşeşte			
	reuşim			
	reuşiţi			
	reuşesc			
a ridica	ridic	să ridice	ridică	ridica
'to raise'	ridici		ridicaţi	
	ridică			
	ridicăm			
	ridicaţi			
	ridică			
a rîde	rîd	să rîdă	rîzi	rîs
'to laugh'	rîzi		rîdeţi	
	rîde			
	rîdem			
	rîdeţi			
	rîd			
a ruga	rog	să roage	roagă	rugat
'to ask'	rogi		rugaţi	
	roagă			
	rugăm			
	rugaţi			
	roagă			
a sări	sar	să sară	sari	sărit
'to jump'	sari		săriţi	
	sare			
	sărim			
	săriţi			
	sar			

	Present Indicative	Subjunctive	Imperative	Past Participle
a sărut**a**	săr**u**t	să săr**u**te	săr**u**tă	sărut**at**
'to kiss'	săr**u**ţi		sărut**a**ţi	
	săr**u**tă			
	sărut**ă**m			
	sărut**a**ţi			
	săr**u**tă			
e se sătur**a**	mă s**a**tur	să se s**a**ture	s**a**tură-te	sătur**at**
'to have	te s**a**turi		sătur**a**ţi-vă	
enough	se s**a**tură			
	ne sătur**ă**m			
	vă sătur**a**ţi			
	se s**a**tură			
a scăp**a**	sc**a**p	să sc**a**pe	sc**a**pă	scăp**at**
'to escape'	sc**a**pi		scăp**a**ţi	
'to drop'	sc**a**pă			
	scăp**ă**m			
	scăp**a**ţi			
	sc**a**pă			
a schimb**a**	sch**i**mb	să sch**i**mbe	sch**i**mbă	schimb**at**
'to change'	sch**i**mbi		schimb**a**ţi	
	sch**i**mbă			
	schimb**ă**m			
	schimb**a**ţi			
	sch**i**mbă			
a scr**i**e	scr**i**u	să scr**i**e	scr**i**e	scris
'to write'	scr**i**i		scr**i**eţi	
	scr**i**e			
	scr**i**em			
	scr**i**eţi			
	scr**i**u			
a sco**a**te	scot	să sco**a**tă	sco**a**te	scos
'to pull out'	scoţi		sco**a**teţi	
	sco**a**te			
	sco**a**tem			
	sco**a**teţi			
	scot			
a se scul**a**	mă scol	să se sco**a**le	sco**a**lă -te	scul**at**
'to get up'	te scoli		scul**a**ţi-vă	

	Present Indicative	Subjunctive	Imperative	Past Particip
	se sco**a**lă			
	ne scul**ă**m			
	vă scul**a**ţi			
	se sco**a**lă			
a serv**i**	serv**e**sc	să serve**a**scă	serv**e**şte	serv**i**t
'to serve'	serv**e**şti		serv**i**ţi	
	serv**e**şte			
	serv**i**m			
	serv**i**ţi			
	serv**e**sc			
a se simţ**i**	mă simt	să se s**i**mtă	s**i**mte-te	simţit
'to feel'	te simţi		simţ**i**ţi-vă	
	se s**i**mte			
	ne simţ**i**m			
	vă simţ**i**ţi			
	se simt			
a sos**i**	sos**e**sc	să sose**a**scă		sos**i**t
'to arrive'	sos**e**şti			
	sos**e**şte			
	sos**i**m			
	sos**i**ţi			
	sos**e**sc			
a spăl**a**	spăl	să sp**e**le	sp**a**lă	spăla
'to wash'	speli		spăl**a**ţi	
	sp**a**lă			
	spăl**ă**m			
	spăl**a**ţi			
	sp**a**lă			
a sper**a**	sper	să sp**e**re	sp**e**ră	spera
'to hope'	speri		sper**a**ţi	
	sp**e**ră			
	sper**ă**m			
	sper**a**ţi			
	sp**e**ră			
a sp**u**ne	spun	să sp**u**nă	sp**u**ne	spus
'to say'	spui		sp**u**neţi	
	sp**u**ne			
	sp**u**nem			

	Present Indicative	Subjunctive	Imperative	Past Participle
	spuneţi			
	spun			
a sta	stau	să stea	stai	stat
'to stand'	stai		staţi	
'to reside'	stă			
	stăm			
	staţi			
	stau			
a stinge	sting	să stingă	stinge	stins
'to extinguish'	stingi		stingeţi	
	stinge			
	stingem			
	stingeţi			
	sting			
a strica	stric	să strice	strică	stricat
'to damage'	strici		stricaţi	
	strică			
	stricăm			
	stricaţi			
	strică			
a strînge	strîng	să strîngă	strînge	strîns
'to gather'	strîngi		strîngeţi	
	strînge			
	strîngem			
	strîngeţi			
	strîng			
a suna	sun	să sune	sună	sunat
'to ring'	suni		sunaţi	
	sună			
	sunăm			
	sunaţi			
	sună			
a şterge	şterg	să şteargă	şterge	şters
'to wipe'	ştergi		ştergeţi	
	şterge			
	ştergem			
	ştergeţi			
	şterg			

	Present Indicative	Subjunctive	Imperative	Past Participle
a ști	știu	să știe		știut
'to know'	știi			
	știe			
	știm			
	știți			
	știu			
a tăia	tai	să taie	taie	tăiat
'to cut'	tai		tăiați	
	taie			
	tăiem			
	tăiați			
	taie			
a telefona	telefonez	să telefoneze	telefonează	telefonat
'to telephone'	telefonezi		telefonați	
	telefonează			
	telefonăm			
	telefonați			
	telefonează			
a trage	trag	să tragă	trage	tras
'to pull'	tragi		trageți	
	trage			
	tragem			
	trageți			
	trag			
a trăi	trăiesc	să trăiască	trăiește	trăit
'to live'	trăiești		trăiți	
	trăiește			
	trăim			
	trăiți			
	trăiesc			
a trece	trec	să treacă	treci	trecut
'to pass'	treci		treceți	
	trece			
	trecem			
	treceți			
	trec			
a trezi	trezesc	să trezească	trezește	trezit
'to wake',	trezești		treziți	
'to arouse'	trezește			

	Present Indicative	Subjunctive	Imperative	Past Participle
	trezim			
	treziţi			
	trezesc			
a trimite	trimit	să trimită	trimite	trimis
'to send'	trimiţi		trimiteţi	
	trimite			
	trimitem			
	trimiteţi			
	trimit			
a ţine	ţin	să ţină	ţine	ţinut
'to hold'	ţii		ţineţi	
	ţine			
	ţinem			
	ţineţi			
	ţin			
a uita	uit	să uite	uită	uitat
'to forget'	uiţi		uitaţi	
	uită			
	uităm			
	uitaţi			
	uită			
a se urca	mă urc	să se urce	urcă-te	urcat
'to climb up'	te urci		urcaţi-vă	
	se urcă			
	ne urcăm			
	vă urcaţi			
	se urcă			
a usca	usuc	să usuce	usucă	uscat
'to dry'	usuci		uscaţi	
	usucă			
	uscăm			
	uscaţi			
	usucă			
a vedea	văd	să vadă	vezi	văzut
'to see'	vezi		vedeţi	
	vede			
	vedem			
	vedeţi			

	Present Indicative	Subjunctive	Imperative	Past Participle
	văd			
a veni	vin	să vină	vino	venit
'to come'	vii		veniţi	
	vine			
	venim			
	veniţi			
	vin			
a vinde	vînd	să vîndă	vinde	vîndut
'to sell'	vinzi		vindeţi	
	vinde			
	vindem			
	vindeţi			
	vînd			
a vizita	vizitez	să viziteze	vizitează	vizitat
'to visit'	vizitezi		vizitaţi	
	vizitează			
	vizităm			
	vizitaţi			
	vizitează			
a vorbi	vorbesc	să vorbească	vorbeşte	vorbit
'to speak'	vorbeşti		vorbiţi	
	vorbeşte			
	vorbim			
	vorbiţi			
	vorbesc			
a vrea	vreau	să vrea		vrut
'to want'	vrei			
	vrea			
	vrem			
	vreţi			
	vor			
a zice	zic	să zică	zi	zis
'to say'	zici		ziceţi	
	zice			
	zicem			
	ziceţi			
	zic			

ROMANIAN WORD LIST

Here is a list of the words that appear in the Vocabularies. The Lessons in which they appear are indicated by the numbers. The numerals, days of the week, months, and most geographical names have been omitted.

A

abia 24
absenţă 25
acasă 7
accelerat 11
accident 13
acel 11
acela 11
acest 9
acesta 11
acolo 7
a acoperi 20
actor 9
acum(a) 7
adevăr 14
adînc 20
adresă 2
a aduce 13
a-şi aduce aminte 18
aeroport 4
a afla 16
a se afla 16
agenţie 11
aglomerat 17
aici (aicea) 7
a ajunge 11
a ajuta 13
alaltăieri 22
alb 19
albastru 19
album 23
alcool 17
a alege 19
aliment 13
alimentară 13
alpinism 16
alt 9
altfel 16
altul 19
ambasadă 5
american 3
amfiteatru 20
amiază 13
a-şi aminti 14
amintire 18
amîndoi 20
an 2
aniversare 21
anticariat 23
antinevralgic 17
apariţie 23
apartament 5
apă 5
apă minerală 13
a apărea 23
apoi 9
a aprecia 23
apreciat 9
a aprinde 18
aproape 8
aproape de 9
a se apropia 20
apropo 8
apus 20
aranjament 18
a arăta 14
a arde 16
armată 19
artizanat 23
ascensiune 16
a asculta 13
aspirator 21
aspirină 17
aşa 7
aşa că 21
a aşeza 14
a aştepta 12
a ateriza 25
atrăgător 19
atunci 14
aur 20
autobuz 4
autoservire 13
a auzi 4
a avea 3
avion 4
azi 5

B

bagaj 11
baie 12
ban 2, 11
bancnotă 19

bar 9
a bate 12
băiat 8
bărbat 25
bătrîn 6
a bea 9
bec 5
bej 19
benzină 22
bere 5
bibliotecă 12
bicicletă 19
bijuterie 16
bilet 5
bine 4
bineînţeles 14
birou 4
biserică 18
bloc 9
bogat 14
bolnav 17
bomboană 19
bon 22
borcan 13
bou 3
brad 3
braţ 23
britanic 8
brînză 5
a se bronza 16
bucătăreasă 21
bucătărie 14
a se bucura 13
Bucureşti 6
buletin 13
bulevard 23
bun 2
burete 13

C

ca 9
ca să 12
cabinet 17
cadou 11
cafea 4
cal 3
cald 14
calorifer 14
cam 24
cameră 5
canal 18
cantină 7
cap 10
capitală 19
capitol 20
care 19
carte 5
carte poştală 10
cartier 20
cartof 14
casă 2
casetă 18
casetofon 18
casieriţă 19
castaniu 19
castel 19
castravete 20
caz 21
că 8
a cădea 13
a călători 11
călătorie 11
cămară 14
cămin 8
căprui 19
cărbune 20
căsătorie 21
a căuta 17

ce 2
ceai 6
ceas 12
ceaşcă 23
ceaţă 21
cec 19
cel 18
celălalt 21
centură 4
cer 25
ceramică 23
a cere 17
ceva 11
chef 20
cheie 14
chelner 25
a cheltui 25
a chema 23
chiar 17
chibrit 2
chiflă 6
chioşc 22
chitanţă 19
cinci 2
cine 2
cinema 9
cinematograf 9
ciocolată 6
circulaţie 12
a citi 7
citronadă 7
cîine 2
cîmpie 20
cînd 3
a cînta 17
cîntar 10
a cîştiga 18
cît 4
cîţiva 12

clădire 19
coastă 16
a coborî 11
cofetărie 7
coleg 18
colet 10
colindă 18
colţ 13
a comanda 20
companie 11
compartiment 1
a completa 19
congres 21
conopidă 14
a continua 12
contra 22
a controla 11
conversaţie 8
copil 3
copilărie 18
cor 18
a costa 6
costum 16
coş 13
covor 23
cozonac 24
cratiţă 21
cravată 16
Crăciun 18
a crede 12
creion 4
cremă 16
a creşte 21
crud 19
cu 1
a se culca 18
culoare 19
cum 12
cuminte 21
a cumpăra 9
cumpărătură 13
cumva 22
a cunoaşte 19
curaj 21
curat 8
a curăţa 14
curios 16
curs 12
curte 9
cusur 21
cutie 10
cutie poştală 10
cuţit 14

D

da 4
a da 7
a-şi da seama 22
dacă 13
dar 6
datorită 16
de altfel 8
de ce 7
de cînd 24
de la 4
de loc 6
de unde 4
deal 20
deasupra 22
debit 22
decît 9
defect 18
deja 9
delicatesă 13
demnitate 13
deoarece 25
deocamdată 17
deosebit 23
departe 25
a deprima 13
a deranja 18
des 11
a deschide 10
a se descurca 13
deseori 11
a desface 14
desigur 14
despre 6
destul 12
deşi 12, 16
deşteptător 12
devreme 12
a se dezbrăca 17
dicţionar 4
diferit 23
dificultate 18
dimineaţă 12
din 3
din cînd în cînd 25
din nou 11
din păcate 16
dinte 3
dintre 13
diplomat 3
direct 11
disc 18
doamna 4
doamnă 7
doctor 3
doctoriţă 3
doi 2
dolar 13
domn 7
a domni 19
domnişoară 7
domnitor 19
domnul 4

a dori 10
a dormi 4
dormitor 12
drag 24
drogherie 17
drum 18
a duce 23
a se duce 12
dulce 2
dumneaei 3
dumnealor 3
dumnealui 3
dumneata 4
dumneavoastră 4
Dumnezeu 24
după 9
după aceea 11
după amiază 13
după ce 18
a dura 16
a durea 17
durere 17
duş 12
duşman 19

E

ea 3
ecran 18
ediţie 23
ei 3
el 3
ele 3
emoţie 18
englez 3
englezesc 9
englezeşte 6
englezoaică 3
epuizat 23
est 20
eu 3
examen 12
excelent 9
excursie 11
exemplar 23
exerciţiu 9
a expedia 10
a explica 17
exterior 24
extern 18

F

fabrică 18
a face 4
facultate 12
familie 8, 14
farfurie 14
farmacie 17
farmacistă 17
fasole 14
fată 8
faţă 12, 14
fără 12
fel 8, 18
felie 6
femeie 25
fereastră 25
fericit 14
fertil 20
a fi 3
fiecare 19
fier 20
fiindcă 8
film 9
fireşte 14
firmă 24
fix 12
floare 14
fluviu 20
foame 14
foarte 6
foc 24
a folosi 14
folositor 14
a forma 20
formaţie 18
formă 14
formular 10, 19
fotbal 18
fotografie 19
fotoliu 4
francez 8
franţuzesc 9
franţuzeşte 6
frate 12
frescă 24
frică 14
frig 14
frigider 14
friptură 13
frizer 14
frontieră 11
frumos 6
fular 19
a fuma 22
funcţionar 10
funcţionară 10
furculiţă 14

G

galben 19
gară 2
gata 12
a găsi 11
a se găsi 17
a găti 21
geamantan 11
gem 13

geografie 20
ghid 23
ghişeu 10
ginere 2
a se gîndi 24
gît 17
gol 10
graniţă 11
gras 25
graţie 16
grav 17
a se grăbi 12
grădină 2
grănicer 11
greşeală 10
greu 6
gri 19
gripă 17
gros 21
grup 21
gust 20
guturai 17

H

haină 18
hartă 5
hîrtie 4
a se hotărî 13
hotel 5

I

iar 10, 14
iarăşi 19
iarbă 2
iarnă 2
ibric 23
icoană 24
icre 20
idee 20
ie 23
ieftin 6
iepure 3
ieri 2
a ieşi 17
a-şi imagina 14
imediat 17
informaţie 10
inginer 2
a interesa 23
interesant 24
a interzice 23
a intra 10
intrare 11
inutil 21
a invita 6
a iubi 25

Î

a se îmbrăca 12
a împacheta 21
a împodobi 18
împotriva 22
împreună 24
în 1
în curînd 16
în faţă 22
în loc de 14
în timp ce 18
înainte (de) 13
înaintea 22
înalt 19
înălţime 20
înăuntru 20
înăuntrul 22
a încasa 19
încă 9
a încălzi 13
a începe 12
a încerca 12
a închide 10
închis 10
încît 23
a îndrăzni 12
îngheţată 7
înot 16
a înota 16
însă 14
înseninat 19
întîi 21
a se întîlni 22
a întinde 14
a se întîmpla 16
a se întoarce 14
întotdeauna 17
într- 6
între 8
a întreba 12
a se întreba 24
întîrziere 25
a întrista 13
a învăţa 7
a se învecina 20
înviere 24
a învinge 19

J

joi 3
jos 16
a se juca 18
jucărie 18
jumătate 12

K

kilogram 13
kilometru 3

L

la 1
la fel 8
lac 20
lampă 5
lapte 13
lat 8
lămîie 17
a lăsa 11
lăţime 20
lecţie 9
legumă 14
lemn 20
leu 2
liber 11
limbă 7
limonadă 7
lingură 14
linguriţă 14
linişte 13
liniştit 16
liră sterlină 13
literatură 23
litoral 16
litru 2
lîngă 2
loc 11
local 21
localitate 23
a locui 9
locuinţă 10
Londra 6
lor 10
a lua 4
a lucra 6
lucru 11, 18
lui 10
lume 13
lumină 18
lumînare 24
lung 6
lungime 20
lună 12
luni 17

M

magazin 19
magnetofon 18
mai 4
mai ales 9
mamă 8
manual 7
mare 2, 16
maro 19
marţi 17
masă 5
maşină 3
matematică 12
mazăre 14
mănăstire 19
măr 5
a mări 22
mărime 21
meci 18
medicament 17
a merge 8
mesaj 16
meu 10
mic 2
mie 13
miel 24
miercuri 17
mijloc 20
milă 9, 19
milion 13
miliţian 9
ministru 13
minunat 16
minut 8
a se mira 25
miră 18
mititei 20
mîine 2
mînă 8
a mînca 9
mîncare 14
moarte 19
modă 19
modern 19
moment 10
mondial 21
monedă 10
morcov 14
morun 20
mov 19
mult 6, 7
mulţumesc 4
a mulţumi 17
mulţumit 23
mulţumită 16
muncitoare 18
muncitor 18
munte 7
murdar 8
a muri 21
musafir 14
muşchi 20
a muta 21
muzică 18

N

natural 20
negru 16
nemţeşte 6
nicăieri 4
nici 4

niciodată 4
nimeni 4
nimic 4
a ninge 16
ninsoare 16
nisip 16
nişte 7
noapte 12
noi 4
nord 20
noroc 9
nostru 10
nou 4
nu 4
numai 6
număr 10
nume 19
a se numi 19
nuntă 22

O

o 1
oară 17
obicei 13
obişnuit 14
obosit 18
obraznic 21
ochelari 16
ochi 17
ocupat 10
odată 17
a oferi 16
oficiu poştal 10
om 1
a se opri 22
opt 3
oraş 12
oră 12
ori de cîte ori 18
orice 21
oricum 21
oriunde 21
ortodox 3
ou 4

P

pachet 10
pacient 17
pahar 5
palton 21
pansament 17
pantaloni 19
pantof 19
papuc 13
parc 4
parte 21
partid 21
pasager 11, 25
pastă 17
paşaport 4
Paşte 24
pat 5
patru 2
pădure 20
pălărie 4
păr 22
a se părea 16
părere 23
părinte 23
pe 1
pe lîngă 23
pe urmă 14
pentru 6
pentru că 12
pepsi 23
perie 17
peron 25
persoană 20
peste 10
peşte 3
a petrece 24
a se petrece 19
petrol 20
piaţă 14
picior 17
piept 17
a se pieptăna 12
a pierde 14
pin 2
pisică 19
pix 2
pîine 2
pînă 24
pînă la 11
pînă cînd 18
a place 14
plajă 16
a plăcea 14
plăcere 11
plăcut 11, 18
plămîn 17
a plăti 13
a pleca 8
plecare 8
plictisitor 19
a se plimba 13
plin 10
ploaie 16
a ploua 16
poate 12
pod 20
poezie 8
poimîine 16
policlinică 17
politică 18
poliţist 8
pom 5

pompier 24
populaţie 20
porc 13
poreclit 19
a porni 17
port 16
portofel 5
poruncă 18
poştă 10
poză 19
prăjitură 4
prea 12
a prefera 14
a pregăti 14
a se pregăti 25
preot 3
primăvară 16
prieten 3
a primi 11
primul 20
prin 11
a prinde 16
privelişte 16
priză 18
prînz 17
problemă 18
profesionist 4
profesoară 3
profesor 3
a promite 24
pronostic 21
prosop 16
prost 6
public 10
publicitate 18
pui 4
pulover 21
a pune 6
pungă 5
purtare 18
a putea 11
puţin 6, 7

R

a se rade 12
radio 13
raft 5
a răci 17
răcoare 21
a rămîne 16
răsărit 20
a răspunde 13
rău 4
război 13
a se răzgîndi 24
rece 4
recepţie 21
recomandat 10
a recunoaşte 22
regiune 20
regularitate 13
a relua 24
repede 11
reprezentant 24
restaurant 6
resursă 20
reşou 13
reţetă 17
a reuşi 16
a revedea 24
revistă 16
a rezerva 20
rezervat 11
a ridica 22
a rîde 21
rînd 13
rîu 20
rochie 19
roman 8
român 3
România 3
româncă 3
românesc 9
româneşte 6
roşie 20
roşu 19
roz 19
rudă 18
a ruga 4
a se ruga 24
rus 3
rusesc 9
ruseşte 6

S

sac 9
sacoşă 21
salariu 22
salată verde 14
a saluta 22
sarma 18
sau 3
sănătos 22
săptămînă 17
săpun 21
a sărbători 18
a săruta 8
său 10
scaun 6
schi 16
a schia 16
a se schimba 16
a scoate 14
a scrie 7
scriitor 18
scrisoare 7
a se scula 12

scump 6, 20
a se scumpi 22
scurt 6
a scurta 22
seară 12
sec 2
secol 19
a semna 19
senin 2
a servi 20
sete 14
a sfătui 22
sfert 12
sfîrşit 25
sigur 14
simplu 11
a se simţi 13, 17
sincer 22
singur 17
sirop 17
situat 20
situaţie 22
sîmbătă 17
sînt 1
slab 25
slujbă 24
soacră 2
soare 2
socru 2
soldat 13
somn 14
soră 17, 23
a sosi 6
soţ 10
soţie 10
a sparge 21
spate 17
a se spăla 12
spălat 22
a spera 14
spital 23
splendid 16
spre 4
a spune 8
a sta 2
staţiune 16
sticlă 2
stimat 24
stimă 24
a stinge 18
stomac 17
stradă 9
străin 7
a strica 21
a striga 13
student 3
sub 2
subţire 19
sud 20
sufragerie 18
sumă 19
a suna 10
supă 14
suprafaţă 20
surpriză 24
sus 16
sută 13

Ş

şampanie 20
şapte 3
şase 3
şedinţă 19
şerveţel 14
şes 20
şezlong 7
şi 3
şi . . . . şi 4
şic 19
şosea 4
şpriţ 25
ştecăr 18
a şterge 21
a şti 6
ştire 13
şuncă 13

T

tacîm 14
talentat 9
tare 16
tată 8
taxi 4
a tăcea 6
a tăia 19
tău 10
teatru 22
tehnic 19
teleferic 16
telefon 10
a telefona 10
telegramă 10
televiziune 18
televizor 18
temperatură 17
teritoriu 20
termen 2
a termina 12
text 8
timbru 10
timp 7
titlu 19
tînăr 6
tîrziu 12
toamnă 16
a se topi 16
tort 6

tot 6, 13
tradiţional 24
a trage 19
a transmite 22
tramvai 4
a se transforma 16
a trebui 11
a trece 18
trecut 17
trei 2
tren 3
a se trezi 12
a trimite 7
troleibuz 4
tu 4
a se tunde 22
tuns 22
turc 19
turist 11

Ţ

ţară 3
ţăran 14
ţigară 22
a ţine 21
a ţine minte 21
ţuică 14

U

a ucide 19
a uita 14
a se uita 12
ulei 13
ultim 18
un 1
una 3, 19
unde 2
uneori 21
a se unge 16
a uni 19
universitate 7
unt 6
untdelemn 13
unu(1) 3, 19
a se urca 19
a urî 11
a urma 20
următor 17
usturoi 23
uşă 13
uşor 6

V

vacanţă 11
vagon 11
vagon restaurant 11
valabil 8
vale 16
valută 19
vamă 11
vameş 11
vară 16
variabil 21
varză 14
văr 5
vată 17
vechi 8
vecin 18
a vedea 4
a veni 3
verde 19
vest 20
veste 13
vie 20
viitor 17
vilă 16
vin 2
a vinde 14
virgulă 13
vizavi de 22
viză 6
a vizita 11
vizită 11
vînzătoare 13
vîrf 20
vîrstă 6
voce 10
voi 4
voie 18
volum 8
a vorbi 6
vostru 10
a vrea 10
vreme 7

Z

zahăr 13
zarzavat 14
zăpadă 16
zăpăcit 18
zbor 6
zece 3
zgomot 18
zi 9
ziar 17
a zice 8
zilnic 7
a se zvoni 22

ROMANIAN-ENGLISH VOCABULARY

In the following vocabulary stress is indicated by bold type. Nouns are given in their full forms. Adjectives are given only in their masculine singular form except in cases where the feminine or plural endings cause alternations in the root. Verbs are given in their infinitive form with the present tense endings in -ez and -esc, and the past participles in -ut and -s, where relevant; those that may be used both reflexively and non-reflexively are given with the reflexive pronoun se in parentheses.

The abbreviations used are those adopted throughout the book.

Words introduced in the lessons are not listed.

A

abaj**u**r – abaj**u**ruri n. lampshade
ab**a**tere – ab**a**teri f. deviation
a absolv**i** vb. to graduate, to forgive
a absorb**i** vb. to absorb
abund**e**nt adj. abundant
abur – **a**buri m. steam, vapour
a se abur**i** vb. to steam up
ac – **a**ce n. needle
a acceler**a**, -ez vb. to accelerate
acc**e**nt – acc**e**nte n. accent
a accentu**a**, -ez vb. to stress
a accept**a** vb. to accept
accid**e**nt – accid**e**nte n. accident
ac**e**laşi, ac**e**eaşi, ac**e**iaşi, ac**e**leaşi dem. adj. + pron. the same
a acoper**i** vb. to cover
ac**o**rd – ac**o**rduri n. agreement
a acord**a**, -ez vb. to grant
acru adj. sour
act – **a**cte n. act, deed, document
activit**a**te – activit**ă**ţi f. activity
actu**a**l adj. current, present
a acţion**a**, -ez vb. to act

a acuz**a** vb. to accuse
a adapt**a**, -ez vb. to adapt
adăp**o**st – adăp**o**sturi n. shelter
a adăpost**i**, -esc vb. to shelter
a adăug**a** vb. to add
ad**e**sea, ad**e**seori adv. often
adevăr**a**t adj. true, genuine
ad**i**că adv. that is to say
adine**a**uri adv. just now
administr**a**ţie – administr**a**ţii f. administration
a admir**a** vb. to admire
admir**a**ţie – admir**a**ţii f. admiration
a adm**i**te, -s vb. to admit, to allow
a adorm**i** vb. to fall asleep
a se adres**a**, -ez vb. to address oneself to
a ad**u**ce, -s vb. to bring
a-şi ad**u**ce aminte (de) vb. to remember
a adun**a** vb. to gather
adun**a**re – adun**ă**ri f. assembly
aer n. air
aeroglis**o**r – aeroglis**oa**re n. hovercraft
af**a**cere – af**a**ceri f. business
af**a**ră adv. outside
a afirm**a** vb. to assert, to affirm
af**i**ş – af**i**şe n. poster
a afl**a** vb. to find out, to discover
a agăţ**a** vb. to hang up
ag**e**ndă – ag**e**nde f. diary
ag**e**nt – ag**e**nţi m. agent
a agit**a** vb. to agitate
agric**o**l adj. agricultural
aiur**i**t adj. scatter-brained
a aj**u**nge, -s vb. to reach, to arrive; to be sufficient
a ajut**a** vb. to help
ajut**o**r – ajut**oa**re n. help, aid
al**ă**turi adv. beside, next
alb**i**nă – alb**i**ne f. bee
a alcătu**i**, -esc vb. to form, to constitute
al**e**e – al**e**i f. lane, path

a alege, -s vb. to choose
a alerga vb. to run
aliat adj. allied
a alinta vb. to caress, to soothe
Alpi m. pl. Alps
alpin adj. alpine
altar – altare n. altar
altădată adv. some other time
altceva pron. something else
altcineva pron. somebody else
altminteri adv. otherwise
aluat n. dough
alună – alune f. hazelnut
a aluneca vb. to slip, to slide
amabil adj. amiable
amar adj. bitter
amănunt – amănunte n. detail
amărît adj. downcast
ambii, ambele adj. both
ambiţios adj. ambitious
a amenda, -ez vb. to fine
amendă – amenzi f. fine
a ameninţa vb. to threaten
a amesteca vb. to mix
amic – amici m. friend
a-şi aminti, -esc vb. to remind
amor – amoruri n. love (affair)
amurg – amurguri n. twilight, dusk
anapoda adv. topsy-turvy, in confusion
anecdotă – anecdote f. anecdote
animal – animale n. animal
antic adj. ancient
anume adv. namely
anumit adj. a certain
a anunţa vb. to announce, to inform
aparat – aparate n. device, machine
aparat de fotografiat n. camera
aparţine, -ut vb. to belong to
a apăra vb. to defend

a apărea, -ut vb. to appear
a apăsa vb. to press
a se apleca vb. to bend down
a aprinde, -s vb. to light
a se apropia (de) vb. to approach
apropiere – apropieri f. vicinity
a apuca vb. to grasp, to seize
a apune, -s vb. to set (the sun)
a ara vb. to plough
aramă f. copper
a aranja, -ez vb. to arrange
a arăta vb. to show
arbore – arbori m. tree
a arde, -s vb. to burn
ardei – ardei m. pepper; ardei gras – green pepper; ardei iute – chilli pepper
argint n. silver
arhitectură f. architecture
aripă – aripi f. wing
aritmetică f. arithmetic
armă – arme f. weapon, gun
artă – arte f. art
articol – articole n. article
artist – artişti m. artist
a arunca vb. to throw
a asculta vb. to listen to, to obey
a ascunde, -s vb. to hide
a ascuţi vb. to sharpen
asemănare – asemănări f. resemblance
asemenea adj. such; de asemenea adv. similarly
asfinţit n. sunset, west
a asigura vb. to assure
asigurare – asigurări f. insurance
asociaţie – asociaţii f. association
aspect – aspecte n. aspect
aspru adj. rough
astăzi adv. today
astfel adv. thus, in this way
asupra prep. against, on

a aşeza vb. to set, to place
a aştepta vb. to wait for, to expect
aşternut – aşternuturi n. bedspread
a ataca vb. to attack
atent adj. attentive
atenţie – atenţii f. attention
a atinge, -s vb. to touch
atitudine – atitudini f. attitude
a atîrna vb. to hang
atracţie – atracţii f. attraction
a atrage, -s vb. to attract
a aţipi, -esc vb. to doze
auriu adj. gold-coloured
autentic adj. authentic
autohton adj. native
autor – autori m. author
autoritate – autorităţi f. authority
a auzi vb. to hear
a avea, -ut vb. to have
avere – averi f. wealth
avocat – avocaţi m. lawyer

B

ba no; ba da on the contrary
babă – babe f. old woman
balcon – balcoane n. balcony
baltă – bălţi f. pool, swamp
banană – banane f. banana
banc – bancuri n. joke
bancă – bănci f. bench
bandă – benzi f. strip, tape (for tape-recorder)
barbă – bărbi f. beard
barcă – bărci f. boat
basma – basmale f. kerchief
a bate, bătut vb. to hit, to beat
batistă – batiste f. handkerchief
a baza, -ez vb. to base
bază – baza f. base
bazin de înot n. swimming pool

băcănie – băcănii f. grocery
a băga vb. to put in, to introduce
a bănui, -esc vb. to suspect
bărbat – bărbaţi m. man, husband
bărbie – bărbii f. chin
bărbier – bărbieri m. barber
bătaie – bătăi f. beating, fight
bătrîn adj. old, aged
băţ – beţe n. stick
băutură – băuturi f. drink
a bea, băut vb. to drink
belşug n. abundance
biblie – biblii f. bible
biet, biată, bieţi, biete adj. poor, unfortunate
biftec – biftecuri n. steak
binecuvîntare – binecuvîntări f. blessing
binefacere – binefaceri f. charity
binevenit adj. welcome
binişor adv. fairly well
a birui, -esc vb. to defeat
biruinţă – biruinţe f, victory
bisect adj. leap; an bisect leap year
blană – blănuri f. fur, fur coat
a blestema vb. to curse
blînd adj. gentle, tame
blond adj. fair, blond
blugi m.pl. blue jeans
boabă – boabe f. berry
boală – boli f. illness
bogăţie – bogăţii f. wealth
boier – boieri m. boyar
bolovan – bolovani m. boulder
bordură – borduri f. curb
bot – boturi n. snout, muzzle
a boteza vb. to baptize
brazdă – brazde f. furrow
brichetă – brichete f. lighter
broască – broaşte f. frog; lock
a se bronza vb. to get a tan

brusc adj. sudden, abrupt
bucată – bucăţi f. piece
a se bucura vb. to be glad
bucurie – bucurii f. joy
bucuros adj. glad
buletin – buletine n. identity card; buletin de ştiri; news broadcast
bunătate – bunătăţi f. kindness
bunăvoinţă f. goodwill
bunic – bunici m. grandfather
bunică – bunici f. grandmother
buton – butoane n. button (that is pressed)
buton – butoni m. cuff-link, collar-stud
buză – buze f. lip
buzunar – buzunare n. pocket

C

cabană – cabane f. chalet, cabin
caiet – caiete n. exercise-book
caisă – caise f. apricot
calculator – calculatoare n. calculator
cale – căi f. way, road
calitate – calităţi f. quality
cană – căni f. jug
cantitate – cantităţi f. quantity
capăt – capete n. end, limit
capră – capre f. goat
car – care n. cart
carne f. meat
carnet – carnete n. book of tickets
carton – cartoane n. cardboard
casier – casieri m. cashier
casnic adj. domestic
castan – castani m. chestnut tree
castană – castane f. chestnut
castravete – castraveţi m. cucumber
caşcaval n. (hard) cheese
categorie – categorii f. category
cauză – cauze f. cause

cazan – cazane n. cauldron
căci conj. because
căciulă – căciuli f. fur cap
a cădea, căzut vb. to fall
călător – călători m. traveller
a călători, -esc vb. to travel
călătorie – călătorii f. journey
căldură – călduri f. heat
cămaşă – cămăşi f. shirt
a căpăta vb. to obtain
căpşună – căpşuni f. strawberry
cărare – cărări f. path
a se căsători, -esc vb. to get married
căsuţă – căsuţe f. cottage
către prep. towards
a căuta vb. to look for
ceapă – cepe f. onion
ceară f. wax
ceartă – certuri f. quarrel
celebru adj. famous
central adj. central
centru – centre n. centre, middle
cer – ceruri n. sky, heaven
cerb – cerbi m. stag
cerc – cercuri n. circle
a cerceta, -ez vb. to examine
a cere, -ut vb. to ask for, request
cereală – cereale f. cereal, crops
cerere – cereri f. request
cerneală – cerneluri f. ink
a certa vb. to rebuke
cetate – cetăţi f. citadel, fortress
cetăţean – cetăţeni m. citizen
chei – cheiuri n. quay
chelner – chelneri m. waiter
a cheltui, -esc vb. to spend (money)
chestiune – chestiuni f. problem, matter
chimie f. chemistry
chinui, -esc vb. to torture

chip – chipuri n. image, matter
ci conj. but
cică adv. people say that
cifră – cifre f. figure, number
cină – cine f. supper
cineva pron. somebody
cinste f. honour
cinstit adj. honest
cioban – ciobani m. shepherd
cioc – ciocuri n. beak, bill
ciocîrlie – ciocîrlii f. skylark
ciorbă – ciorbe f. borsh, soured soup
circ – circuri n. circus
a circula vb. to move about
cireaşă – cireşe f. cherry
a citi, -esc vb. to read
cititor – cititori m. reader
ciudat adj. strange
ciudă f. anger, spite
ciupercă – ciuperci f. mushroom
cizmă – cizme f. boot
cîmp – cîmpuri n. field
a cînta vb. to sing
cîntec – cîntece n. song
cîrnat – cîrnaţi m. sausage
a cîştiga vb. to earn, to win
cîteodată adv. sometimes
clar adj. clear
clasă – clase f. class
client – clienţi m. client
climă – clime f. climate
clipă – clipe f. moment, instant
clopot – clopote n. bell
a coace, copt vb. to bake
coadă – cozi f. tail; a face coadă to queue up
a se coafa, -ez vb. to have one's hair styled
coafor – coafori m. ladies' hairdresser
coajă – coji f. peel, skin (fruit)
coasă – coase f. scythe

coc**o**ş – coc**o**şi m. cock
c**o**dru – c**o**dri m. thick forest
cofetăr**i**e – cofetăr**i**i f. coffee shop, confectioner's
coj**o**c – cojo**a**ce n. sheepskin coat
comed**i**e – comed**i**i f. comedy
a coment**a**, -ez vb. to comment upon
com**e**rţ n. trade, commerce
comit**e**t – comit**e**te n. committee
como**a**ră – com**o**ri f. treasure
a compar**a** vb. to compare
comport**a**re f. behaviour
comp**o**t – comp**o**turi n. tinned or bottled fruit
conc**e**diu – conc**e**dii n. leave, holiday
a se concentr**a**, -ez (asupra) vb. to concentrate (on)
conc**e**rt – conc**e**rte n. concert
concl**u**zie – concl**u**zii f. conclusion
concur**e**nţă f. rivalry
conc**u**rs – conc**u**rsuri n. competition
a condamn**a** vb. to condemn
cond**i**ţie – cond**i**ţii f. condition
a cond**u**ce, cond**u**s vb. to drive a car
conf**e**cţii f.pl. ready-made clothes
confer**i**nţă – confer**i**nţe f. lecture
con**ia**c – con**ia**curi n. cognac
cons**i**liu – cons**i**lii n. council
a constat**a** vb. to notice
a constru**i**, -esc vb. to construct
conşti**e**nt adj. conscious
conştiinci**o**s adj. conscientious
conşti**i**nţă – conşti**i**nţe f. conscience
a cont**a**, -ez (pe) vb. to count (on)
cont**a**bil – cont**a**bili m. accountant
contempor**a**n adj. contemporary
a continu**a** vb. to continue
contr**a**st – contr**a**ste n. contrast
a contraz**i**ce, contraz**i**s vb. to contradict
a control**a**, -ez vb. to check
a conţ**i**ne, conţin**u**t vb. to contain
conţin**u**t n. content(s)

a conveni vb. to suit
a convinge, convins vb. to persuade
convorbire – convorbiri f. talk, discussion;
copac – copaci m. tree
copie – copii f. copy
copt adj. ripe
corabie – corăbii f. sailing ship
corb – corbi m. raven
corect adj. correct
coridor – coridoare n. corridor
corn – coarne n. horn; corn – cornuri n. crescent roll
corp – corpuri n. body
cort – corturi n. tent
cot – coate n. elbow
cotizaţie – cotizaţii f. subscription
crap – crapi m. carp
a crea, -ez vb. to create
creangă – crengi f. branch, bough
creastă – creste f. ridge, crest
credinţă – credinţe f. belief
creier – creieri m. brain
a creşte, crescut, vb. to grow
creştin – creştini m. Christian
crimă – crime f. a serious crime
critică – critici f. criticism
criză – crize f. crisis
cruce – cruci f. cross
cub – cuburi n. cube
cuc – cuci m. cuckoo
a cuceri, -esc vb. to conquer
cucoană – cucoane f. lady
cui – cuie n. nail
cuib – cuiburi n. nest
a se culca vb. to go to bed
a culege, cules vb. to pick, to gather
culme – culmi f. summit, top
a cultiva vb. to cultivate, to grow
cultură – culturi f. culture
cultural adj. cultural

cumnat – cumnaţi m. brother-in-law
cumnată – cumnate f. sister-in-law
cunoştinţă – cunoştinţe f. knowledge, acquaintance
cunună – cununi f. wreath
a cuprinde, cuprins vb. to contain
cuptor – cuptoare n. oven
a curăţa vb. to peel, to clean
curea – curele f. belt
cutare adv. + adj. so and so, such and such
cutremur – cutremure n. earthquake
cuvenit adj. fitting, due
cuvînt – cuvinte n. word

D

dactilografă – dactilografe f. typist
dar – daruri n. gift
a datora, -ez vb. to owe
datorie – datorii f. duty, debt
a dărîma vb. to demolish
de ajuns adv. sufficient
de altfel adv. moreover
de-a lungul prep. along
de asemenea adv. also
decădere – decăderi f. decadence
decembrie m. December
a decide, decis vb. to decide
a declara vb. to declare
decor – decoruri n. setting, decor
decret – decrete n. decree
degeaba adv. in vain
deget – degete n. finger
delicat adj. delicate
deltă – delte f. delta
dentist – dentişti m. dentist
deoarece conj. since
deocamdată adv. for the time being
deodată adv. suddenly
deopotrivă adv. equally
a deosebi, -esc vb. to distinguish

deosebire – deosebiri f. difference, distinction
departe adv. far away
depărtat adj. distant
a depinde (de) vb. to depend (on)
deplin adj. full
a depune, depus vb. to deposit
des adj. dense, frequent
a descărca vb. to unload
a descoperi vb. to discover
a descrie, descris vb. to describe
desculţ adj. barefoot
desert – deserturi n. dessert
a desfiinţa, -ez vb. to abolish
a despărţi vb. to separate
deştept adj. clever
a (se) deştepta vb. to wake up
deunăzi adv. the other day
a deveni vb. to become
a (se) dezbrăca vb. to undress
a dezlega vb. to untie
a (se) dezvolta vb. to develop
dezvoltare – dezvoltări f. development
dialog – dialoguri n. dialogue
diavol – diavoli m. devil
diferenţă – diferenţe f. difference
dinadins adv. on purpose
dincolo de prep. beyond
din întîmplare adv. by chance
diplomă – diplome f. diploma
direcţie – direcţii f. direction
dirijor – dirijori m. conductor (orchestra)
discret adj. discrete
a discuta vb. to discuss
discuţie – discuţii f. discussion
a dispărea, dispărut vb. to disappear
dispus adj. inclined, ready
distanţă – distanţe f. distance
distins adj. distinguished
a se distra, -ez vb. to enjoy oneself

doar adv. only
dobitoc – dobitoci m. blockhead
dobîndă – dobînzi f. interest (money)
a dobîndi, -esc vb. to obtain, to acquire
doctorie – doctorii f. medicine
document – documente n. document
doină – doine f. elegiac folk-song
Domnul m. the Lord
domnie – domnii f. reign
dop – dopuri n. cork (bottle), plug (sink)
dor – doruri n. longing
dorinţă – dorinţe f. wish, desire
dormitor – dormitoare n. bedroom
dos n. back; pe dos back to front
dosar – dosare n. folder, dossier
dovadă – dovezi f. proof
a dovedi, -esc vb. to prove
drac – draci m. devil
dragoste f. love
dramaturg – dramaturgi m. playwright
drăguţ adj. charming, sweet
a drege, -s vb. to put right, to mend
drept – drepturi n. right, law
drept adj. straight, direct, right
dreptate – dreptăţi f. justice, right
drojdie – drojdii f. yeast, dregs
dublu adj. double
duh – duhuri n. spirit, soul
duios adj. sorrowful, tender
dulap – dulapuri n. wardrobe
Dumnezeu m. God
dungă – dungi f. stripe
a dura, -ez vb. to last

E

echipament – echipamente n. equipment
ecou – ecouri n. echo
editură – edituri f. publishing house
efect – efecte n. effect

efort – eforturi n. effort
egalitate – egalităţi f. equality
electrician – electricieni m. electrician
elegant adj. elegant
elev – elevi m. schoolboy
elevă – eleve f. schoolgirl
a elibera, -ez vb. to free
a emigra, -ez vb. to emigrate
emoţionat adj. excited, moved
energie f. energy
enorm adj. enormous
episcop – episcopi m. bishop
epocă – epoci f. era
eră – ere f. era
erou – eroi m. hero
etaj – etaje n. floor, storey
etichetă – etichete f. label
a evada, -ez vb. to escape
eveniment – evenimente n. event
eventual adj. possible
a evita vb. to avoid
evreu – evrei m. Jew
exact adj. exact
exemplu – exemple n. example
a expedia, -ez vb. to send
experienţă – experienţe f. experience, experiment
a explica vb. to explain
expresie – expresii f. expression

F

fag – fagi m. beech tree
faimă – faime f. fame
fapt – fapte n. fact
faptă – fapte f. fact, deed
far – faruri n. lighthouse, car headlamp
farmec – farmece n. charm
fasole f. beans
a făgădui, -esc vb. to promise
făină f. flour

fățiș adv. openly
fecior – feciori m. boy, lad
a felicita vb. to congratulate
felicitare – felicitări f. greetings card
felinar – felinare n. lamp post
femeie – femei f. woman
fereastră – ferestre f. window
a feri, -esc vb. to avoid
fericire – fericiri f. happiness
fetiță – fetițe f. little girl
ficat – ficați m. liver
a fierbe, fiert vb. to boil
fierbinte adj. (boiling) hot
figură – figuri f. form, shape, image
fiică – fiice f. daughter
fir – fire n. thread
fire – firi f. nature, character
firesc adj. natural
fiu – fii m. son
fîntînă – fîntîni f. fountain, well
flacără – flăcări f. flame
flămînd adj. hungry
foaie – foi f. leaf
folos n. use
a folosi, -esc vb. to use
fond – fonduri n. background; fund
forță – forțe f. force
fost adj. former
a frige, fript vb. to roast, to bake
frizerie – frizerii f. hairdresser's
frînghie – frînghii f. rope, cord
fruct – fructe n. fruit
frumusețe f. beauty
frunte – frunți f. forehead, front
frunză – frunze f. leaf
a fugi vb. to flee
fulg – fulgi m. flake
fum n. smoke
a fuma, -ez vb. to smoke

fund – funduri n. bottom, back
funie – funii f. rope
a fura vb. to steal
furie – furii f. fury, rage
furnică – furnici f. ant
furtună – furtuni f. storm

G

galerie – galerii f. gallery
garanţie – garanţii f. guarantee
gard – garduri n. fence
gardă – gărzi f. guard
gaz – gaze n. gas
gazdă – gazde f. host, landlord
găleată – găleţi f. bucket
geam – geamuri n. window (-pane)
geană – gene f. eyelash
gem – gemuri n. jam
general adj. general
general – generali m. general
genunchi – genunchi m. knee
ger n. frost
gheară – gheare f. claw
gheaţă – gheţuri f. ice, icefloes
a ghici, -esc vb. to guess
ghid – ghiduri n. guidebook
ghid – ghizi m. guide
a gîdila vb. to tickle
gînd – gînduri n. thought
glas – glasuri n. voice
glonţ – gloanţe n. bullet
glorie – glorii f. glory
glumă – glume f. joke
a glumi, -esc vb. to joke
gogoaşă – gogoşi f. doughnut
golf – golfuri n. gulf, bay
a goli, -esc vb. to empty
a goni, -esc vb. to chase away
grabă f. haste

grad – gr**a**de n. grade, degree
grai – graiuri n. speech, dialect
gram – gr**a**me n. gram
gram**a**tică – gram**a**tici f. grammar, grammar-book
gras adj. fat
gr**a**tis adv. free of charge
grăb**i**t adj. in a hurry
grăm**a**dă – grăm**e**zi f. heap, pile
grăs**i**me f. fat
grăt**a**r – grăt**a**re n. grill
a greş**i**, -esc vb. to make a mistake
greut**a**te – greut**ă**ţi f. weight, difficulty
gr**i**jă – griji f. care, concern
griş n. semolina
gr**î**u – gr**î**ne n. wheat, cereals
gro**a**pă – gropi f. ditch, grave
gro**a**ză f. fear, terror
gro**a**znic adj. terrible
groz**a**v adj. terrific
g**u**ler – g**u**lere n. collar
gun**o**i – gun**oa**ie n. dirt, rubbish
g**u**ră – guri f. mouth
a gust**a** vb. to taste
guv**e**rn – guv**e**rne n. government

H

ha**i**n adj. wicked, hateful
hal**a**t – hal**a**te n. dressing-gown
ham**a**l – ham**a**li m. porter
hamb**a**r – hamb**a**re n. bar, granary
han – h**a**nuri n. inn
h**a**os n. chaos
ha**o**tic adj. chaotic
h**a**rnic adj. industrious
haz n. joy, amusement
h**o**hot – h**o**hote n. loud burst (of laughter or tears)
hol – h**o**luri n. entrance-hall
a se holb**a**, -ez vb. to stare
h**o**ră – h**o**re f. round dance

hotar – hotare n. border
a (se) hotărî, -ăsc vb. to decide
hotărîre – hotărîri f. decision
hoţ – hoţi m. thief
hrană f. food
a hrăni, -esc vb. to feed

I

iad – iaduri n. hell
iahnie – iahnii f. ragout
iată interj. look!, here is!
iaurt – iaurturi n. yoghurt
a ierta vb. to forgive
a ieşi vb. to exit
ieşire – ieşiri f. exit
a-şi imagina, -ez vb. to imagine
imagine – imagini f. image
imens adj. immense
a imita vb. to imitate
imperiu – imperii n. empire
important adj. important
importanţă – importanţe f. importance
impozit – impozite n. tax, duty
impresie – impresii f. impression
impunător adj. impressive
a impune, impus vb. to impose
in n. flax
inamic – inamici m. enemy
incultură f. lack of education
independenţă f. independence
individ – indivizi m. guy, fellow
inel – inele n. ring
a influenţa, -ez vb. to influence
influenţă – influenţe f. influence
inimă – inimi f. heart
iniţiativă – iniţiative f. initiative
a insista vb. to insist
a instala, -ez vb. to install
instalator – instalatori m. plumber

instrum**e**nt – instrum**e**nte n. instrument
insulă – **i**nsule f. island
intelig**e**nt adj. intelligent
int**e**nţie – int**e**nţii f. intention
inter**e**s – inter**e**se n. interest
int**e**rn adj. internal
interpr**e**t – interpr**e**ţi m. interpreter
a interven**i** vb. to intervene
a interz**i**ce, interz**i**s vb. to forbid
a intr**a** vb. to enter
a introd**u**ce, introd**u**s vb. to introduce
introd**u**cere – introd**u**ceri f. introduction
a inund**a** vb. to flood
a invad**a**, -ez vb. to invade
inv**a**zie – inv**a**zii f. invasion
invit**a**ţie – invit**a**ţii f. invitation
a ispăş**i**, -esc vb. to atone for
a isprăv**i**, -esc vb. to terminate, to finish
ist**o**ric – ist**o**rici m. historian
ist**o**rie – ist**o**rii f. history
a iub**i**, -esc vb. to love
iute adj. quickly; spicy
a se iv**i**, -esc vb. to appear
a izb**i**, -esc vb. to strike, to hit
a izbucn**i**, -esc vb. to break out
a izol**a**, -ez vb. to isolate
izv**o**r – izv**oa**re n. spring, source

Î

a se îmbăt**a** vb. to get drunk
a îmbătrîn**i**, -esc vb. to grow old
a (se) îmbogăţ**i**, -esc vb. to grow rich, to enrich
a se îmbolnăv**i**, -esc vb. to fall ill
a (se) îmbrăc**a** vb. to dress
îmbrăcăm**i**nte f. clothing
a îmbrăţiş**a**, -ez vb. to embrace
a îmbunătăţ**i**, -esc vb. to improve
a împăc**a** vb. to reconcile
împăr**a**t – împăr**a**ţi m. emperor

a împărţi vb. to divide
a împiedica vb. to hinder
a împinge, împins vb. to push
a împlini, -esc vb. to accomplish
împrejur adv. round, around
împrejurare – împrejurări f. circumstance
împrumut – împrumuturi n. loan
a împrumuta vb. to lend, to borrow
a împuşca vb. to shoot
în general adv. generally
în jur adv. around
în jurul prep. around
în străinătate adv. abroad
înaintat adj. advanced
înainte de conj. before
înapoi adv. backwards
înălţime – înălţimi f. height
înăuntru adv. inside
încă adv. still, yet, more
a se încălzi vb. to get warm
a încăpea, încăput vb. to fit into
a încărca vb. to load
a începe, început vb. to begin
început – începuturi n. to begin
a încerca vb. to try
încercare – încercări f. attempt, test
încet adv. slowly, softly (of sound)
a înceta, -ez vb. to cease
a încheia vb. to close
încheiere – încheieri f. conclusion
a (se) închina vb. to make the sign of the cross; to toast, to dedicate
a-şi închipui vb. to imagine
închisoare – închisori f. prison
a încînta vb. to delight
înclinaţie – înclinaţii f. inclination
încoace adv. hither, this way
încolo adv. thither, that way
a înconjura vb. to surround

încotro adv. whither
a încredința, -ez vb. to entrust
încredere – încrederi f. confidence
a încuia vb. to lock up
a încuraja, -ez vb. to encourage
a (se) încurca vb. to entangle, to confuse
îndată adv. immediately
îndatorat adj. indebted
îndelungat adj. protracted
îndemn – îndemnuri n. insistence
a îndemna vb. to urge
îndeosebi adv. especially
îndepărtat adj. distant
a îndeplini, -esc vb. to fulfil
a îndoi vb. to fold, to bend
a se îndoi, -esc vb. to doubt
îndoială – îndoieli f. doubt
a îndrăzni, -esc vb. to dare
a îndrepta vb. to put right, to straighten
îndreptățit adj. justified
a îndruma, -ez vb. to guide
a îneca vb. to drown
a înfățișa, -ez vb. to present, to show
a înfige, înfipt vb. to stick in
a înființa, -ez vb. to establish
înfiorător adj. frightful
a înflori, -esc vb. to flourish
înfloritor adj. flourishing
a înfrînge, înfrînt vb. to defeat
a înfrunta vb. to confront
a înfuria vb. to make furious
înger – îngeri m. angel
a îngheța vb. to freeze
a înghiți vb. to swallow
a îngriji, -esc vb. to take care of
îngrijit adj. careful
îngrijorat adj. worried
a îngropa vb. to bury
a (se) îngrozi, -esc vb. to terrify, to be terrified

îngrozit adj. terrified
îngust adj. narrow
a înlocui, -esc vb. to replace
a înmulţi, -esc vb. to multiply
a înnebuni, -esc vb. to go mad
a înnoda vb. to tie
a înota vb. to swim
a înregistra, -ez vb. to record
înrudit adj. related
a (se) înscrie, înscris vb. to enrol
a însemna vb. to mean
însemnătate f. importance
înspăimîntat adj. terrified
a însoţi, -esc vb. to accompany
a se însura vb. to marry (male subject)
a înşela vb. to deceive
a înştiinţa, -ez vb. to inform
a întări, -esc vb. to strengthen
a întemeia, -ez vb. to found, to establish
a întinde, întins vb. to spread
a (se) întîlni, -esc vb. to meet
a se întîmpla vb. to happen
a întîrzia vb. to be late
întîrziere – întîrzieri f. delays
a (se) întoarce, întors vb. to return, to turn round
într-adevăr adv. really, indeed
între prep. between
a întreba vb. to ask
întrebare – întrebări f. question
a întrebuinţa, -ez vb. to use
întreg adj. whole
întreprindere – întreprinderi f. enterprise, company
a întrerupe, întrerupt vb. to interrupt
întrucît conj. inasmuch as
a se întuneca vb. to become dark
întuneric n. darkness
a înţelege, înţeles vb. to understand
înţelept adj. wise
înţeles – înţelesuri n. meaning

a înţepeni, -esc vb. to become stiff
a învălui, -esc vb. to envelop
învăţămînt n. education
învăţător m. primary school teacher
a înveli, -esc vb. to cover over
a învinge, învins vb. to defeat
a învinui, -esc vb. to accuse

J

jale f. sadness
a jefui, -esc vb. to plunder
jertfă – jertfe f. sacrifice
a jigni, -esc vb. to offend, to hurt
joc – jocuri n. game; dance
jos adj. low, adv. down; pe jos adv. on foot
a (se) juca vb. to play
a judeca vb. to judge
judeţ – judeţe n. county
a jupui vb. to graze (skin)
a jura vb. to swear

L

labă – labe f. paw
lacrimă – lacrime f. tear
ladă – lăzi f. trunk, chest
lamă – lame f. blade
lan – lanuri n. field
lanţ – lanţuri n. chain
larg adj. wide, broad
laş – laşi m. coward
laudă – laude f. praise
a lămuri, –esc vb. to elucidate
a lăsa vb. to leave
a lătra vb. to bark
lăutar – lăutari m. gypsy fiddler
leac – leacuri n. remedy
leafă – lefuri f. salary
lebădă – lebede f. swan
a lega vb. to bond

a (se) legăna vb. to swing
legătură – legături f. connexion
lege – legi f. law
legendă – legende f. legend
legitim adj. legitimate
lene f. laziness
leneş adj. lazy
lesne adv. easily
libertate – libertăţi f. freedom
librărie – librării f. bookshop
liceu – licee n. secondary school
lichid – lichide n. liquid
lift – lifturi n. lift
limită – limite f. limit
limpede adj. clear
lin adj. gentle, mild
linie – linii f. line
a lipi, -esc vb. to stick
a lipsi, -esc vb. to be absent, to be missing
listă – liste f. list
literatură – literaturi f. literature
literă – litere f. letter
liturghie – liturghii f. liturgy
livadă – livezi f. orchard
lînă – lîneturi f. wool; woollens
locuitor – locuitori m. inhabitant
a se logodi, -esc vb. to become engaged
logodnic – logodnici m. fiancé
logodnică – logodnice f. fiancée
a lovi, -esc vb. to hit, to strike
a luci, -esc vb. to sparkle, to shine
lucrare – lucrări f. project
lup – lupi m. wolf
a se lupta vb. to fight
luptă – lupte f. fight, struggle

M

maghiar adj. Hungarian
mahala – mahalale f. seedy district, slum

maică – maici f. mother, nun
mal – maluri n. bank, coast, shore
manuscris – manuscrise n. manuscript
marfă – mărfuri f. goods
margine – margini f. edge, boundary
mazăre f. peas
mămăligă f. polenta, maize meal
mănuşă – mănuşi f. glove
măr – meri m. apple tree
a mări, -esc vb. to increase
a mărturisi, -esc vb. to confess
măslină – măsline f. olive
a măsura vb. to measure
măsură – măsuri f. measure, size
mătase – mătăsuri f. silk
mătuşă – mătuşi f. aunt
medicină f. medical science
medie – medii f. average
melc – melci m. snail
membru – membri m. member
memorie – memorii f. memory
menaj – menajuri n. household
a menţine, menţinut vb. to maintain
a menţiona, -ez vb. to mention
mereu adv. continually
a merge, mers vb. to go
a merita vb. to deserve
meserie – meserii f. trade, occupation
meşter – meşteri m. foreman, craftsman
meşteşug – meşteşuguri n. handicraft, skill
metru – metri m. metre
mezeluri n. pl. wurst, sausage meat
miazănoapte f. north
miazăzi f. south
miere f. honey
mierlă – mierle f. blackbird
miez n. middle; kernel
migdală – migdale f. almond
mijloc – mijloace n. means, method

mincinos adj. deceitful
minciună – minciuni f. lie
mineral – minerale n. mineral
minge – mingi f. ball
minister – ministere n. ministry
minoritate – minorităţi f. minority
minte – minţi f. mind
a minţi vb. to lie
a (se) minuna, -ez vb. to astonish
minune – minuni f. miracle
mirare – mirări f. astonishment
mire – miri m. bridegroom
mireasă – mirese f. bride
a mirosi vb. to smell
a (se) mişca vb. to move
mişcare – mişcări f. movement
mitropolit – mitropoliţi m. metropolitan bishop
mizerie – mizerii f. misery, wretchedness
a mînca vb. to eat
mîndrie – mîndrii f. pride
mîndru adj. proud
a mîngîia vb. to caress
mînie – mînii f. anger, fury
mlaştină – mlaştini f. marsh
moale, moale, moi, moi adj. soft
moară – mori f. mill
mobilă – mobile f. furniture
mod – moduri n. manner
model – modele n. pattern
a modifica vb. to modify
monument – monumente n. monument
morală – morale f. morals
moravuri n. pl. customs
mormînt – morminte n. tomb
mort adj. dead
moş – moşi m. old man
moşie – moşii f. estate
a moşteni, -esc vb. to inherit
motiv – motive n. cause, motive

a muia vb. to dip, to soak
muiere – muieri f. woman
mujdei n. crushed garlic
mulţime – mulţimi f. large quantity, crowd
a mulţumi, -esc vb. to thank
muncă f. work, labour, toil
a munci, -esc vb. to work hard
a muri vb. to die
muscă – muşte f. fly
mustaţă – mustăţi f. moustache
a mustra vb. to scold
muştar n. mustard
mut adj. dumb
muzeu – muzee n. museum

N

nai – naiuri n. pan pipe
nailon n. nylon
naiv adj. naive
nas – nasuri n. nose
nasture – nasturi m. button
a năşte, născut vb. to give birth
naştere – naşteri f. birth
naţional adj. national
naţiune – naţiuni f. nation
nădejde – nădejdi f. hope
nămol – nămoluri n. mud
a năvăli, -esc vb. to attack, to invade
nea f. snow
neam – neamuri n. people, race
neamţ – nemţi m. German
neapărat adv. without fail, at any cost
neascultător adj. disobedient
neastîmpărat adj. restless, unruly
neaşteptat adj. unexpected
nebun adj. mad, crazy
nebunie f. madness
necaz – necazuri n. trouble, misery
a necăji, -esc vb. to vex, to trouble

necesar adj. necessary
nedreptate – nedreptăţi f. injustice
nedumerire f. surprise
nefolositor adj. useless
negură – neguri f. mist, fog
negustor – negustori m. dealer, merchant
neîntrecut adj. unsurpassed
nemaipomenit adj. unprecedented
nenorocire – nenorociri f. misfortune
nenorocit adj. wretched
neplăcut adj. unpleasant
nepot – nepoţi m. grandson, nephew
nepoată – nepoate f. granddaughter, niece
neputinţă – neputinţe f. inability
nerăbdare f. impatience
nesimţitor adj. inconsiderate
neted adj. smooth
neutru adj. neutral
nevastă – neveste f. wife
nevăzut adj. unseen
nevinovat adj. innocent
nevoie – nevoi f. need
a ninge, nins vb. to snow
nivel – niveluri n. level
nod – noduri n. knot
nor – nori m. cloud
noră – nurori f. daughter-in-law
nostim adj. nice, attractive
noroi n. mud
a nota, -ez vb. to note
notă – note f. note, grade
nuc – nuci m. walnut tree
nucă – nuci f. walnut
a număra vb. to count
nume – nume n. name
nuvelă – nuvele f. short story

O

oaie – oi f. sheep
oală – oale f. bowl
oarecum adv. to a certain extent
obiect – obiecte n. object
a se obişnui, -esc vb. to get accustomed
a obliga vb. to oblige, to compel
obligatoriu adj. mandatory
obligaţie – obligaţii f. obligation
a obosi, -esc vb. to tire
obraz – obraji m. cheek
a obţine, obţinut vb. to obtain
ocean – oceane n. ocean
ochi – ochi m. eye
ocol – ocoale n. detour
a ocroti, -esc vb. to protect
a ocupa vb. to occupy
odaie – odăi f. room
odihnă f. rest
a se odihni, -esc vb. to rest
odinioară adv. formerly
a oferi vb. to offer
oglindă – oglinzi f. mirror
omenesc adj. human, decent
omenire f. mankind
a omite, omis vb. to omit
omor – omoruri n. murder
a omorî, -ăsc vb. to kill
onoare f. honour
operă – opere f. work, opera
opinie – opinii f. opinion
a (se) opri, -esc vb. to stop
optimist adj. optimistic
opus adj. opposite
orb, oarbă, orbi, oarbe adj. blind
orchestră – orchestre f. orchestra
ordine – ordini f. order, succession
a ordona vb. to give an order to
a ordona, -ez vb. to put in order

organizaţie – organizaţii f. organisation
orgolios adj. vain, conceited
oricine pron. anyone
oricînd adv. anytime
origine – origini f. origin
orizont – orizonturi n. horizon
orz n. barley
os – oase n. bone
a osîndi, -esc vb. to condemn
otravă – otrăvuri f. poison
oţet n. vinegar
ovăz n. oats

P

pace f. peace
pagină – pagini f. page
pagubă – pagube f. loss, harm
pai – paie n. straw
palat – palate n. palace
palmă – palme f. palm
papetărie – papetării f. stationer's
pară – pere f. pear
a parca, parchez vb. to park
parcă adv. probably, seemingly
pardesiu – pardesie n. light overcoat
a participa (la) vb. to participate (in)
particular adj. private
partid – partide n. political party
pas – paşi m. pace, step
pasăre – păsări f. bird
paşnic adj. peaceful
pată – pete f. stain, spot
patinaj n. skating
patrie f. fatherland
pauză – pauze f. pause, break
păcat – păcate n. sin
pămînt – pămînturi n. earth, land, soil
păpuşă – păpuşi f. doll
a părăsi, -esc vb. to abandon

a părea, părut vb. to seem
a păstra, -ez vb. to preserve
a păta, -ez vb. to stain
a pătrunde, pătruns vb. to penetrate
a păţi, -esc vb. to endure, to suffer
a păzi, -esc vb. to guard
pedeapsă – pedepse f. punishment
peisaj – peisaje n. landscape
pensie – pensii f. pension
pepene – pepeni m. melon
pereche – perechi f. pair, couple
perete – pereţi m. wall
perfect adj. perfect
pericol – pericole n. danger
permis – permise n. permit
permis de conducere n. driving licence
a permite, permis vb. to allow
pernă – perne f. pillow
peron – peroane n. platform
a petrece, petrecut vb. to spend time
petrecere – petreceri f. party
piatră – pietre f. stone
a pica vb. to drop, to fall
picătură – picături f. drop
pictură – picturi f. picture, painting
picup – picupuri n. record player
piele – piei f. skin, hide
pieptene – piepteni m. comb
a pierde, pierdut vb. to lose
piersică – piersici f. peach
piesă – piese f. play; part (machine)
pieton – pietoni m. pedestrian
pildă – pilde f. model, example
pilulă – pilule f. pill
piper m. pepper
pistol – pistoale n. pistol
pînză – pînze f. cloth
plan – planuri n. plan
plapumă – plăpumi f. quilt

plată – plăţi f. payment
plic – plicuri n. envelope
a se plimba vb. to go for a walk
plimbare – plimbări f. walk
a plînge, plîns vb. to cry
a se plînge vb. to complain
poartă – porţi f. gate
poftă – pofte f. appetite
a pofti, -esc vb. to invite
politeţe f. politeness
politicos adj. polite
a pomeni, -esc vb. to mention
popă – popi m. priest
popor – popoare n. people, nation
a porni, -esc vb. to set out
portocală – portocale f. orange
porumb m. corn, maize
posibil adj. possible
potrivit adj. suitable
poveste – poveşti f. story
a povesti, -esc vb. to tell, to narrate
poziţie – poziţii f. position
a prăji, -esc vb. to fry
prăvălie – prăvălii f. shop
a prefera vb. to prefer
a prelungi, -esc vb. to prolong
premiu – premii n. reward
presă f. press
prestigiu n. prestige
a presupune, presupus vb. to suppose
preşedinte – preşedinţi m. president
pretutindeni adv. everywhere
preţ – preţuri n. price
a prezenta vb. to introduce
a pricepe, priceput vb. to understand
pricină – pricini f. reason, motive
prietenie – prietenii f. friendship
primar – primari m. mayor
primejdie – primejdii f. danger

printre prep. among
a privi, -esc vb. to look at
privinţă – privinţe f. respect, viewpoint
proaspăt, proaspătă, proaspeţi, proaspete adj. fresh
a proba, -ez vb. to try (on)
probabil adj. probable
procent – procente n. percentage
proces – procese n. case, trial
a produce, produs, vb. to produce
producţie – producţii f. production
produs – produse n. product, produce
profit – profituri n. profit
a profita vb. to profit
program – programe n. programme
progres – progrese n. progress
proiect – proiecte n. plan, design
a promite, promis vb. to promise
proprietar – proprietari m. proprietor, owner
prostie – prostii f. stupidity
provincie – provincii f. province
prună – prune f. plum
puhoi – puhoaie n. torrent, flood
pui – pui m. chicken, offspring
pumn – pumni m. fist
punct – puncte n. point
a pupa vb. to kiss
pur adj. pure
purice – purici m. flea
a purta vb. to wear, to carry
pustiu – pustiuri n. desert
puşcă – puşti f. rifle, gun
putere – puteri f. power
puternic adj. powerful

R

rachetă – rachete f. rocket
radiator – radiatoare n. radiator
rai n. paradise, heaven
ramă – rame f. frame

ramură – ramuri f. branch
raport – rapoarte n. report
rar adj. rare
raţă – raţe f. duck
raţiune – raţiuni f. reason
rază – raze f. ray, beam
răbdare f. patience
răceală – răceli f. cold
a răci, -esc vb. to catch a cold
a rămîne, rămas vb. to remain
rănit adj. injured
a răsări vb. to rise (the sun)
răscoală – răscoale f. uprising
a (se) răspîndi, -esc vb. to spread
răspîndit adj. widespread
răspundere – răspunderi f. responsibility
răspuns – răspunsuri n. answer
a (se) rătăci, -esc vb. to wander, to lose one's way
răutate – răutăţi f. wickedness
reacţiune – reacţiune f. reaction
realitate – realităţi f. reality
reclamă – reclame f. advertisement
a recomanda vb. to recommend
a recunoaşte, recunoscut vb. to recognise
recunoscător adj. grateful
a reduce, redus vb. to reduce
rege – regi m. king
regim – regimuri n. diet
regină – regine f. queen
regiune – regiuni f. region
regulat adj. regular
regulă – reguli f. rule
relaţie – relaţii f. relation
a remarca vb. to remark
a remorca, remorchez vb. to tow
renaştere – renaşteri f. renaissance
rentabil adj. profitable
renumit adj. famous
a repara vb. to repair

a repeta vb. to repeat
a reprezenta vb. to represent
a respecta vb. to respect
a respinge, respins vb. to reject
a respira vb. to breathe
rest n. change (money)
a retrage, retras vb. to withdraw
a reţine, reţinut vb. to retain
a rezerva vb. to reserve
a rezolva vb. to solve
rezultat – rezultate n. result
rinichi – rinichi m. kidney
risc – riscuri n. risk
a risca vb. to risk
a rîde, rîs vb. to laugh
rîs n. laughter
rob – robi m. slave
rol – roluri n. role
rost – rosturi n. meaning, purpose
roşie – roşii f. tomato
rugăciune – rugăciuni f. prayer
rugăminte – rugăminţi f. request
rugină f. rust
ruşine f. shame

S

salam – salamuri n. salami
salariat – salariaţi m. employee
sală – săli f. hall
salcie – sălcii f. willow tree
salon – saloane n. drawing room
salt – salturi n. leap
a saluta vb. to greet
a salva, -ez vb. to save
sanie – sănii f. sledge
sapă – sape f. hoe, spade
sarcină – sarcini f. burden, task
sare f. salt
sat – sate n. village

sălbatic adj. wild
sămînţă – seminţe f. seed
sănătate f. health
sărac adj. poor
sărăcie f. poverty
sărbătoare – sărbători f. celebration, holiday
a sărbători, -esc vb. to celebrate
a sări vb. to jump
a săruta vb. to kiss
sătul adj. satiated
a se sătura vb. to be replete
scandal – scandaluri n. scandal, commotion
scară – scări f. ladder, staircase
a scădea, scăzut vb. to reduce
a scăpa vb. to escape; to miss, to drop
scenă – scene f. scene, stage
schimb – schimburi n. exchange
a scoate, scos vb. to take out
scop – scopuri n. purpose, aim
a (se) scutura vb. to shake
scuză – scuze f. excuse, apology
secară f. rye
a secera vb. to reap
semafor – semafoare n. traffic lights
a semăna vb. to resemble; to sow
semn – semne n. sign
a semna, -ez vb. to sign
sentiment – sentimente n. feeling
serie – serii f. series
serios adj. serious
a servi, -esc vb. to serve
serviciu – servicii n. job, employment
sesiune – sesiuni f. session
sfat – sfaturi n. advice
a sfătui, -esc vb. to advise
sfeclă – sfecle f. beetroot
sfînt, sfîntă, sfinţi, sfinte adj. holy
sfîrşit n. end
a sforăi vb. to snore

sifon – sifoane n. soda, soda syphon
siguranţă – siguranţe f. safety
a sili, -esc vb. to force, to compel
simpatic adj. nice
simţ – simţuri n. feeling, instinct
a (se) simţi vb. to feel
sindicat – sindicate n. union
singuratic adj. lonely
sistem – sisteme n. system
sîmbure – sîmburi m. seed, pip
sîn – sîni m. bosom, breasts
sînge n. blood
a slăbi, -esc vb. to lose weight
slăbiciune f. weakness
slavă f. glory
smîntînă f. sour cream
smochină – smochine f. fig
a smulge, smuls vb. to wrest
soartă – sorţi f. fate
sobă – sobe f. stove
social adj. social
socoteală – socoteli f. calculation
a socoti, -esc vb. to reckon
a sorbi vb. to sip
spaimă f. dread
a sparge, spart vb. to break
spaţiu – spaţii n. space
special adj. special
spectacol – spectacole n. show, performance
a spera vb. to hope
a speria vb. to frighten
spin – spini m. thorn
spirit – spirite n. spirit
spiritual adj. witty
spirt- spirturi n. spirit, alcohol
a spînzura vb. to hang
a spori, -esc vb. to increase
sport – sporturi n. sport
a sprijini, -esc vb. to support

sprînceană – sprîncene f. eyebrow
spumă f. foam, lather
a stabili, -esc vb. to establish
stare – stări f. state, situation
stat – state n. state, nation
statuie – statui f. statue
staţie – staţii f. bus-stop
a stăpîni, -esc vb. to control
stea – stele f. star
steag – steaguri n. flag
stejar – stejari m. oak tree
stil – stiluri n. style
stilou – stilouri n. fountain pen
a stinge, stins vb. to extinguish
stîng adj. left
a stoarce, stors vb. to squeeze
stofă – stofe f. cloth
străbun – străbuni m. ancestor
a strica vb. to damage
a striga vb. to shout
a strînge, strîns vb. to gather
strîmt adj. narrow
strop – stropi m. drop
strugure – struguri m. grape
studiu – studii n. study
subiect – subiecte n. subject
suc – sucuri n. fruit juice
succes – succese n. success
a suferi vb. to suffer
a sufla vb. to blow
suflet – suflete n. soul
a suge, supt vb. to suck
a sui vb. to climb
a supăra vb. to annoy
surd adj. deaf
a surîde, surîs vb. to smile
a surprinde, surprins vb. to surprise

Ş

şa – şei f. saddle
şanţ – şanţuri n. ditch
şarpe – şerpi m. snake
şcoală – şcoli f. school
a şedea, şezut vb. to sit
şef – şefi m. chief, head
şir – şiruri n. series, string
şniţel – şniţele n. schnitzel
şoarece – şoareci m. mouse
şofer – şoferi m. driver
a ştampila, -ez vb. to stamp
a şterge, şters vb. to wipe
ştiinţă – ştiinţe f. science, knowledge
ştrand – ştranduri n. open-air swimming pool
a şuiera vb. to whistle
şuncă – şunci f. ham

T

tablou – tablouri n. painting
taină – taine f. secret
talent – talente n. talent
taur – tauri m. bull
taxă – taxe f. tax
a tăia vb. to cut
tărie – tării f. strength
teamă f. fear
temă – teme f. theme
a se teme, temut vb. to be afraid
temei – temeiuri n. basis
tendinţă – tendinţe f. tendency
a termina vb. to finish
tigru – tigri m. tiger
tinereţe f. youth
a tipări, -esc vb. to print
tînăr, tînără, tineri, tinere adj. young
tîrg – tîrguri n. market (town)
toaletă – toalete f. dressing-table

toc – t**o**curi n. fountain pen

toc**a**nă – toc**a**ne f. goulash

t**o**cmai adv. exactly, just

ton – t**o**nuri n. tone

t**o**nă – t**o**ne f. ton

a (se) top**i**, -esc vb. to melt

totod**a**tă adv. at the same time

t**o**tuşi conj. nevertheless

tov**a**răş – tov**a**răşi m. comrade

trad**i**ţie – trad**i**ţii f. tradition

a trad**u**ce, trad**u**s vb. to translate

trad**u**cere – trad**u**ceri f. translation

a tr**a**ge, tras vb. to pull

a trat**a**, -ez vb. to treat

tratam**e**nt – tratam**e**nte n. treatment

a travers**a**, -ez vb. to cross

a tră**i**, -esc vb. to live

trăsăt**u**ră – trăsăt**u**ri f. characteristic

tr**ă**snet – tr**ă**snete n. thunderbolt

tre**a**bă – tr**e**buri f. business, task

tre**a**ptă – tr**e**pte f. step

a tremur**a** vb. to tremble

trept**a**t adv. gradually

a (se) trez**i**, -esc vb. to wake up

trist adj. sad

trist**e**ţe f. sadness

tromp**e**tă – tromp**e**te f. trumpet

trup – tr**u**puri n. body

tun – t**u**nuri n. cannon

turn – t**u**rnuri n. tower

a turn**a** vb. to pour

a tuş**i**, -esc vb. to cough

tut**u**n n. tobacco

tutunger**i**e – tutunger**i**i f. tobacconist's

Ţ

ţărm – ţ**ă**rmuri n. coast, shore

ţel – ţ**e**luri n. aim, intention

a ţ**e**se, ţes**u**t vb. to weave

ţig**a**n – ţig**a**ni m. gypsy
ţin**u**t – ţin**u**turi n. region
a ţip**a** vb. to scream
ţ**i**păt – ţ**i**pete n. scream

U

ucen**i**c – ucen**i**ci m. apprentice
a uc**i**de, uc**i**s vb. to kill
uciga**ş** – uciga**ş**i m. murderer
ud adj. wet
a ud**a** vb. to wet
a uim**i**, -esc vb. to surprise
a uit**a** vb. to forget
a se uit**a** (la) vb. to look (at)
uliţă – **u**liţe f. lane, narrow street
um**a**n adj. human
umăr – **u**meri m. shoulder
a umbl**a** vb. to walk
umbră – **u**mbre f. shadow
umed adj. damp
a umfl**a** vb. to inflate
um**i**l adj. humble
unchi – **u**nchi m. uncle
undă – **u**nde f. wave
undev**a** adv. somewhere
a **u**nge, uns vb. to oil
a un**i**, -esc vb. to unite
un**i**c adj. unique
un**i**re – un**i**ri f. union
univers**a**l adj. world-wide, general
a ur**a**, -ez vb. to wish
ură f. hate
a (se) urc**a** vb. to climb
ur**e**che – ur**e**chi f. ear
uri**a**ş adj. giant
a ur**î**, -ăsc vb. to hate
a urm**a**, -ez vb. to follow
urmă – **u**rme f. track, trace
a urmăr**i**, -esc vb. to follow, to pursue

urs – urşi m. bear
a usca vb. to dry
util adj. useful

V

vacă – vaci f. cow
vad – vaduri n. ford
val – valuri n. wave
valiză – valize f. suitcase
valoare – valori f. value
vapor – vapoare n. ship
vădit adj. obvious
văduv – văduvi m. widower
a vărsa vb. to spill
veac – veacuri n. century, age
vedere – vederi f. view, picture postcard
venin n. poison
vesel adj. joyful
vestit adj. renowned
veşnic adj. eternal
viaţă – vieţi f. life
vină f. blame
vinete f.pl. aubergines
vinovat adj. guilty
vioară – viori f. violin
a visa, -ez vb. to dream
viscol – viscole n. blizzard
vişină – vişine f. morello cherry
vită – vite f. cattle
viteaz adj. brave
viteză – viteze f. speed
viţel – viţei m. calf, veal
viu adj. alive
a vizita, -ez vb. to visit
vînt – vînturi n. wind
vocabular – vocabulare n. vocabulary
voinic adj. robust
voinţă – voinţe f. will
a vopsi, -esc vb. to paint

vorbă – vorbe f. (spoken) word
vrabie – vrăbii f. sparrow
vulpe – vulpi f. fox
vultur – vulturi m. eagle

Z

a zăpăci, -esc vb. to confuse
zău interj. really!
a zbura vb. to fly
a zdrobi, -esc vb. to crush
zeu – zei m. god
a zgîria vb. to scratch
zgomotos adj. noisy
a zidi, -esc vb. to build
a zîmbi, -esc vb. to smile
zmeură f. raspberries
a zugrăvi, -esc vb. to paint
zvon – zvonuri n. rumour

INDEX

This index covers pronunciation and grammatical points raised in the Lessons under Grammar. The numbers refer to the Lessons and sub-sections.

PRONUNCIATION
Vowels 1.2A, 2.1A
Diphthongs 2.1B, 3.1A, 4.1
Consonants 1.2B, 2.1C
Stress 1.3
Intonation 1.4

NOUNS
Nouns 1.6A, 2.2A, 3.2A, 4.2A
Case-System 7.2A
Days of the Week 17.2C1
Indefinite Forms 7.2B
Months of the Year 17.2C2
Names of Countries, Towns, Rivers 20.2D
Noun Usage 3.2B, 8.2A5
Proper Names 12.2C
Vocative Case 7.2C

ADJECTIVES
Adjectives 2.2B, 6.2A
Agreement of Adjectives 9.2A, 18.2B
Adjective: *celălalt* 21.2C
tot 13.2E
Comparative 9.2D
Demonstrative: *acel* 11.2A
acest 9.2B
Indefinite: *alt* 9.2C
Invariable 19.2B
Possessive 10.2A
Superlative 20.2B

ARTICLES
Adjectival Article: *cel* 18.2A3
Definite 8.2A

Indefinite 1.6B
Possessive 18.2A

NUMERALS
Numerals 2.2C, 3.2D, 6.B, 13.2F, 20.2C, 21.2D
The Date 17.2C3
The Time 12.2E

PRONOUNS
Accusative Unstressed 12.2A
Accusative Stressed 13.2A
Dative Unstressed 14.2A
Dative Stressed 16.2A
Dative Reduced Unstressed 16.2A3
Uses of Dative 14.2B
Demonstrative: *acela*, *acesta* 11.2A
cel 19.2C3
celălalt 21.2C3
Indefinite: *altul* 18.2C3
unul 18.2C
Interrogative: *care* 19.2C2
cine 19.2C1
cît 4.2C
Personal 3.2C, 4.2B
Reflexive 12.2B
Relative: care 19.2C2

VERBS
Verbs 1.2C, 2.2D, 3.2E, 4.2D, 7.2D, 8.2B, 9.2E, 10.2B, 11.2B
Compound Perfect 11.2B3
Conditional 20.2A
Future 16.2B
Imperative 17.2A
Imperfect 18.2D
Passive 13.2C
Past Historic 19.2A
Past Participles 23.2A
Pluperfect 21.2A
Present 6.2C

Present Participle 22.2A
Reflexive 22.2A2
Sequence of Tenses 11.2C, 21.2B
Subjunctive 10.2B3

ADVERBS
Adverbs 6.2D, 21.2E
Comparative 9.2D
Expressions of Time 17.2C4
Negative 4.2F
Superlative 20.2B
acum 7.2E
aici 7.2E
bineînţeles, *desigur*, *fireşte* 14.2B
mai 4.2E
şi 4.2E

PREPOSITIONS
Prepositions 6.2E, 10.2C, 13.2D, 22, 2B, 23.2B
pe 13.2B, 23.2C

CONJUNCTIONS
abia 24.2A
cum 24.2A
iar 14.2D
încă 24.2A
ori de cîte ori 24.2A
pînă 24.2A

CLAUSES
Presumptive 23.2E
Să clauses 12.2D, 22.2C
Result 23.2F

WORD ORDER
Word Order 3.2F, 10.2D